横尾忠則の生活

横尾忠則

聞き手　糸井重里

展覧会に出して誰かの評価をもらったり、
これが売れてなんぼのもんだと思ったりすることが、
一般的な画家の、絵を描く目的になっています。

絵はおもしろいから、たのしいから描く。
「いま描いてること」が目的です。

本当はそれですべてが
一致しているはずなんだけどね。
絵だけじゃないよ。
ほかのことも全部そう。

二〇一八年「アホになる修行の極意。」より

みんな、何かするために練習したり
トレーニングしたりするじゃない？
ぼく、あれがダメなの。
すぐに本番じゃないとダメ。

「テニスする」って思い立ったら、
ラケットの持ち方を知らなくても、
いきなりコートに入って、
いきなりカウントとってもらいたい。

テニスをやりたいといって、
まず壁打ちからはじめるでしょ。
そうすると「ああ、おもしろくない」となっちゃう。

自転車の乗り方も泳ぎ方も、絶対に教わりたくない。
犬かきであろうが、
溺れてもいいから、自分でやりたいと思うし、
そのときの発見がおもしろいんじゃないかな。

二〇〇二年「これでも教育の話？
どんな子供に育ってほしいかを、ざっくばらんに。横尾忠則さん編」より

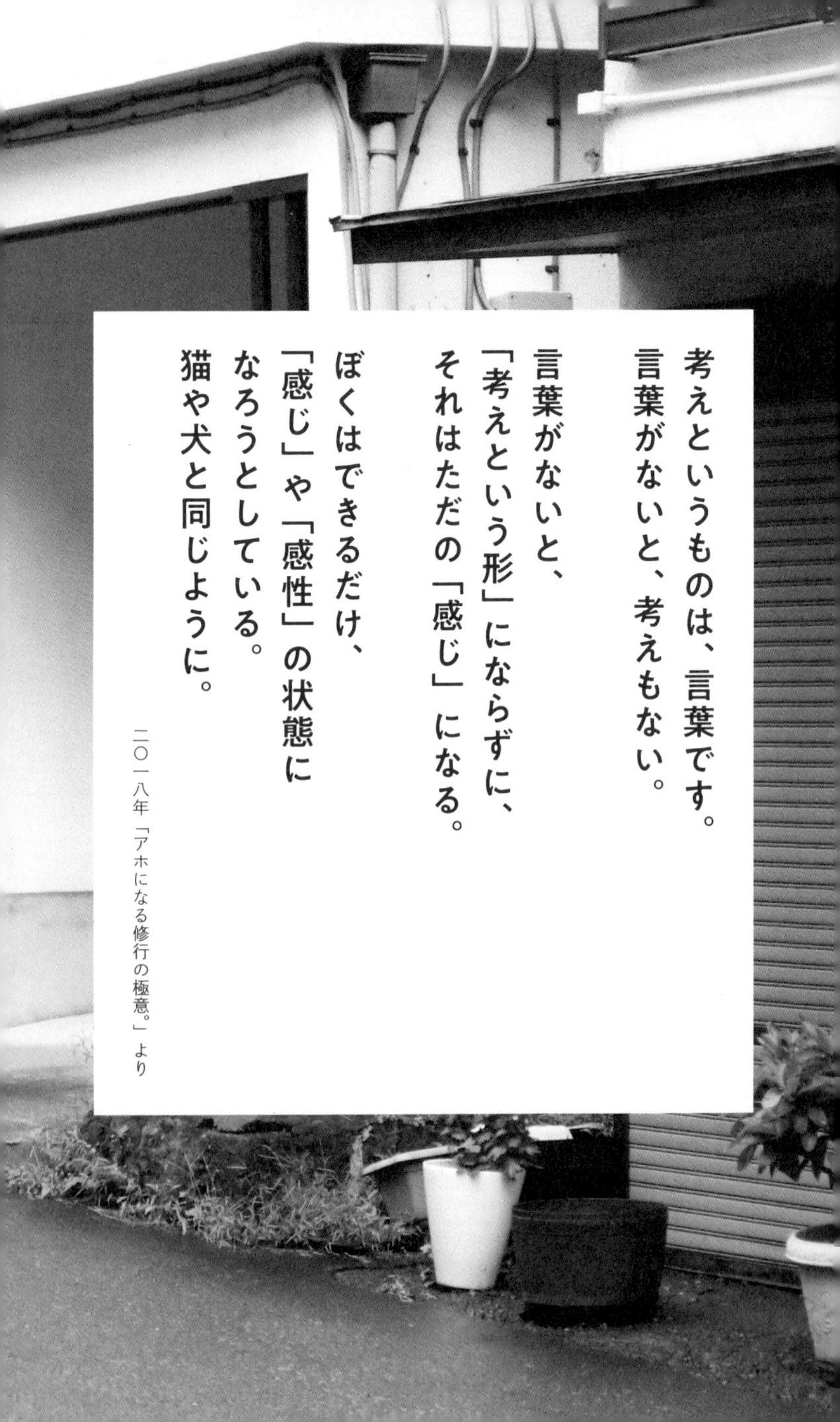

考えというものは、言葉です。
言葉がないと、考えもない。

言葉がないと、
「考えという形」にならずに、
それはただの「感じ」になる。

ぼくはできるだけ、
「感じ」や「感性」の状態に
なろうとしている。
猫や犬と同じように。

二〇一八年「アホになる修行の極意。」より

BOWIE

もともと人間は完成して生まれてきてないでしょう。
未完で生まれてきている。
だから人は、
何かを完成させる必要はないと思う。
未完で生きて未完でものを作って、
未完で死ねばいいんじゃないかな。

二〇一六年「横尾忠則、細野晴臣、糸井重里、3人が集まった日。」より

大学で絵を教えるときは、
「どうやって描いたの？」
そればっかり生徒に訊いてる。
自分が生徒のいいとこを、まねしようと思ってるから。

そう聞かれたほうは、自信持っちゃうんですね。
「教える」って、結局そういうことじゃないでしょうか。
相手が自信を持っちゃえば、
もうそれでいいと思う。

二〇〇二年「これでも教育の話？
どんな子供に育ってほしいかを、ざっくばらんに。　横尾忠則さん編」より

ピカソは
「高さをめざして
いちばん高いところに到達した人」
ではありません。
それは誰にも真似できない。

二〇〇九年「ヨコオとイトイのTHEエンドレス」より

すごくつらかったけれども
終わると同時に「またやりたい」っていう。
そういう人としか、仕事できないですよね。

二〇〇九年「ヨコオとイトイのＴＨＥ エンドレス」より

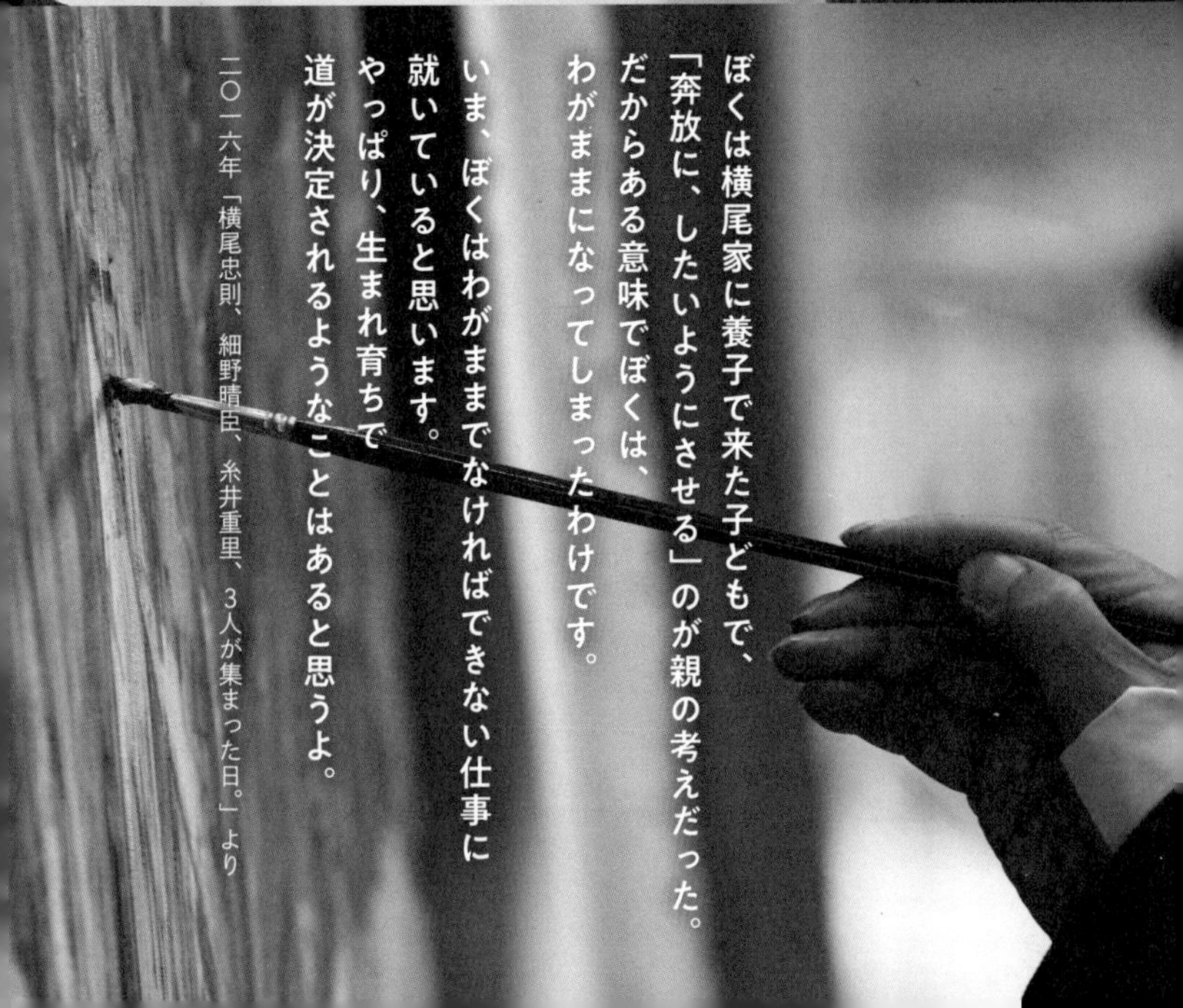

ぼくは横尾家に養子で来た子どもで、
「奔放に、したいようにさせる」のが親の考えだった。
だからある意味でぼくは、
わがままになってしまったわけです。

いま、ぼくはわがままでなければできない仕事に
就いていると思います。
やっぱり、生まれ育ちで
道が決定されるようなことはあると思うよ。

二〇一六年「横尾忠則、細野晴臣、糸井重里、3人が集まった日。」より

若い絵描きさんが、
「どういうものをテーマにしたらいいのか」
「何を表現したらいいのか」
と訊いてくるけれども、ぼくは、
何を描くか、いかに描くか、ということには
興味がありません。

みんな最初は
テーマ性を持って絵を描くわけです。
次はそれをどう表現するか、
造形を問題にしていきます。
そうすると今度は、
「そんなものでもないな」という感じがしてくる。
それからどんどん行って、
結局いったいなんなんだ？ということになります。

結局は
「どういうふうに生きるのか」という
問題になってしまうんです。

生きることは、
ある意味で何かをさらけ出しているわけで、
恥ずかしいことでしょう。
生きることじたい、恥さらしみたいなもんです。
でも、それを恥ずかしいと決めつけてしまったら、
窒息しちゃいますよね。

絵を描くことも、
「さらけ出しながら生きていく」
というのと同じこと。
それでいいんじゃないかな。

二〇一六年「横尾忠則、細野晴臣、糸井重里、3人が集まった日。」より

時間はすごく問題ですよ。
時間でものを測ったり、
体験や記憶を時間に置き換えたら
間違うと思います。
時間よりも、むしろ
何回やったかという回数のほうが大事です。

ぼくが絵を描くときには、
昨日も今日も明日も過去も現在も未来もありません。
いまの時間しかないのです。

二〇一六年「横尾忠則、細野晴臣、糸井重里、3人が集まった日。」より

photo : 山田ミユキ

YOKOO LIFE　横尾忠則の生活　目次

YOKOO LIFE
横尾忠則の生活
2014-2017

自分の「これから」を考える

糸井　最近はあんこを食べると胸焼けがする、とツイッター[※1]にお書きになっていましたが。

横尾　そうね。いまはあんこ[※2]を控えてるの。でも、糸井さんの作るあんこはおいしいね。本当に上手だよ。

糸井　注文があればいつでも作りますよ。

横尾　でも、お医者さんがねぇ。

糸井　ダメだって？

横尾　ダメとは言わないけれども、ぼくはあんこを見ると、あるぶん全部食べちゃうから「ちょっと控えましょう」と言われる

※1　横尾忠則のツイッター。@tadanoriyokoo

※2　あんこは横尾の好物。

糸井　んです。あんこは「疲れたときにいい」なんて聞くけれども。

横尾　骨折※3した足の具合はどうですか？

糸井　レントゲンをひと月に一回のペースで三回撮った結果、お医者さんは骨がすでにくっついて治ってると言うわけ。でもぼくは痛いんです。

横尾　では、骨ではなくむしろ頭や心が原因でしょうか？

糸井　神秘だよね（笑）。むこう三十年は痛い、というんです。死んでも痛みだけは生きているってわけ。ほかの患者さんが次々と「具合悪い」といって入院してくるわけだから、ぼくには退院してもらいたいんだよ。見た目には治っているわけだけど痛い。

横尾　つまり、追い出したいんですね？

糸井　そうだよ。だから試しに退院してみたんだけども、ほらもう、こんなふうにすぐにグダグダになっちゃう。

※3　このページの対話が行われたのは二〇一四年。横尾は二〇一三年に左足の親指を骨折していた。

糸井　はぁあ。

横尾　うちの猫もグダグダでさ。やせてて、上から見たら「ムニャーッ」となってるわけ。ある日病院に連れてって、注射を打ってもらったの。そしたら元気になった。お医者さんに聞くと、うちの猫は人間の年齢でいうと八〇歳ぐらいだから、病気なわけではないんだって。

糸井　老猫というものは徘徊しないんですか？

横尾　メス猫は家の中しか徘徊しない。

糸井　いま、その猫は元気なんですか？

横尾　元気さでいうと、ぼくとどっこいどっこいの勝負だね。年が同じだから。お医者さんは「いつでも尊厳死させますので」なんてめちゃくちゃ言うんだよ。

糸井　元気であれば、いくらなんでも。

横尾　うん、苦しんではないんだからさ。お医者さんは、命を「もの」

※4　愛猫タマ。この後二〇一四年に亡くなる。

として扱う。我々はどうしても心理的に判断してしまうね。

糸井　老犬老猫[※5]になってからも当然愛情は湧きますし。

横尾　犬や猫は愛情をキャッチするね。愛情というより感情をキャッチする。ちょっと優しくすると、体も積極的になるみたい。だから「治れ、治れ」とかいろんなことを言ってなでたりしてる。すると三日か四日で猫の背中のゴツゴツに丸みが出てくるよ。

糸井　ぼくらも「治れ、治れ」となでられてみたいもんですね。横尾さん、以前は健康のためにけっこうたくさん散歩をなさいましたよね？

横尾　そうね。いまはあんまり散歩もできない。このアトリエ[※6]から出て道を降りて川のほうまで行くと、ビジターセンターのテラスがあるんですよ。テラスったってテーブルふたつあるくらいですが、そこの自販機でココアかなんか買って飲むと、

※5　糸井重里の家には愛犬ブイヨンがいた。二〇一八年に亡くなる。

※6　横尾のアトリエ。東京の成城にある。

糸井　太陽が真正面から当たるから快適でね。

横尾　寒い日は散歩しないんでしょう？

糸井　いや、寒い日もする。日光浴のため。

横尾　このアトリエは、高台ですごくいい場所に建ってますね。何年前に建てられたんですか？

糸井　絵※7をはじめた頃だから三十年ぐらい経つんじゃない？　これから壁を壊して窓をつけちゃおうと思ってる。そうすると太陽がバーッと入るでしょ。太陽光線で絵が描けるわけ。

横尾　太陽光線で絵を描くって、豪華でカッコいいですね。

糸井　光線アートだよ。油絵は太陽光線が好きだからね。でも夏は光が入りすぎて暑くなる。

横尾　いいこともあれば悪いこともあるってことですね。二重の窓にすればどうでしょう？

糸井　いや、そこまでお金をかけたくないの。お金をかけるのは別

※7　横尾の最初の職はグラフィックデザイナーだった。

のことでかけたいわけ。

糸井 いやぁ、設備にもお金をかけたほうがいいんじゃないですか？もしも横尾さんより年上の人がここにいたら「横尾くん、かけるべきだよ」って、きっと言いますよ。

横尾 機能的なことにお金はかけないね。そのかわり、建物をボディペインティングする。赤と白とピンクとエメラルドグリーンと金に、自宅[※8]の外観を龍宮城みたいな色にしてしまった。一般的には役に立たないことにお金をかけた。ぼく以外誰もよろこばない。かみさんは一日中家の中にいるから家の外観の美しさを知らないんじゃないかな。

糸井 はあぁあ、そうか。奥さまは知らない、と。

横尾 成城はだいたい、家主が変わると不動産屋さんにお願いして更地にしちゃうんですよ。次にここに来る人が自分のイメージで家を建てたがるんだから。このあたりだと、十数年前に

※8 横尾の自宅も成城に建つ。アトリエの近く。

糸井　建てた家でも壊してる。十数年前の家なんてほとんど新築に見えるし、もったいないと思うけど壊してるよ。

横尾　「十数年」ってほとんど「建って間もない」ですよ。けれども壊して更地にして、自分のイメージの家を建てるために、まっさらにしたいみたい。

糸井　まぁ、そういう人に限って「自分バブル」がはじけてまたどこかに行っちゃうんだけれどもね。横尾さんは、たとえば成城でも「横尾忠則記念館」のようなことをやろうと思えば、できるじゃないですか。

横尾　いや、そうするとね、財団法人を作らないといけないでしょ。面倒くさいですか？

糸井　横尾さん、「面倒くさい」[※9]が口癖だから。

横尾　政治力とか、金のからむことはやりたくないよ。誰かやってくれるんだったらやってくれてもいいよ。家を財団法人にすると、こっちがどこかへ移ることになるだろうね。どのくらいお金がかかるのかね。メリットがあるのかね。作品は大半

※9
横尾に英語を教えていたイギリス人がいちはやく覚えた日本語は「面倒くさい」だった。

が神戸[※10]の美術館に行っちゃうので、まぁ、あとは家の利用のしかただね。ぼくが考えるのではなく財団の人が考えるんだろうけど。でもお金が目の前を行き来しているのを見るのは嫌だね。死んでからやってくれればいい。

糸井 そんなこと言われても（笑）。

※10 神戸市灘区に、横尾忠則の寄贈・寄託作品を多数収める横尾忠則現代美術館がある。

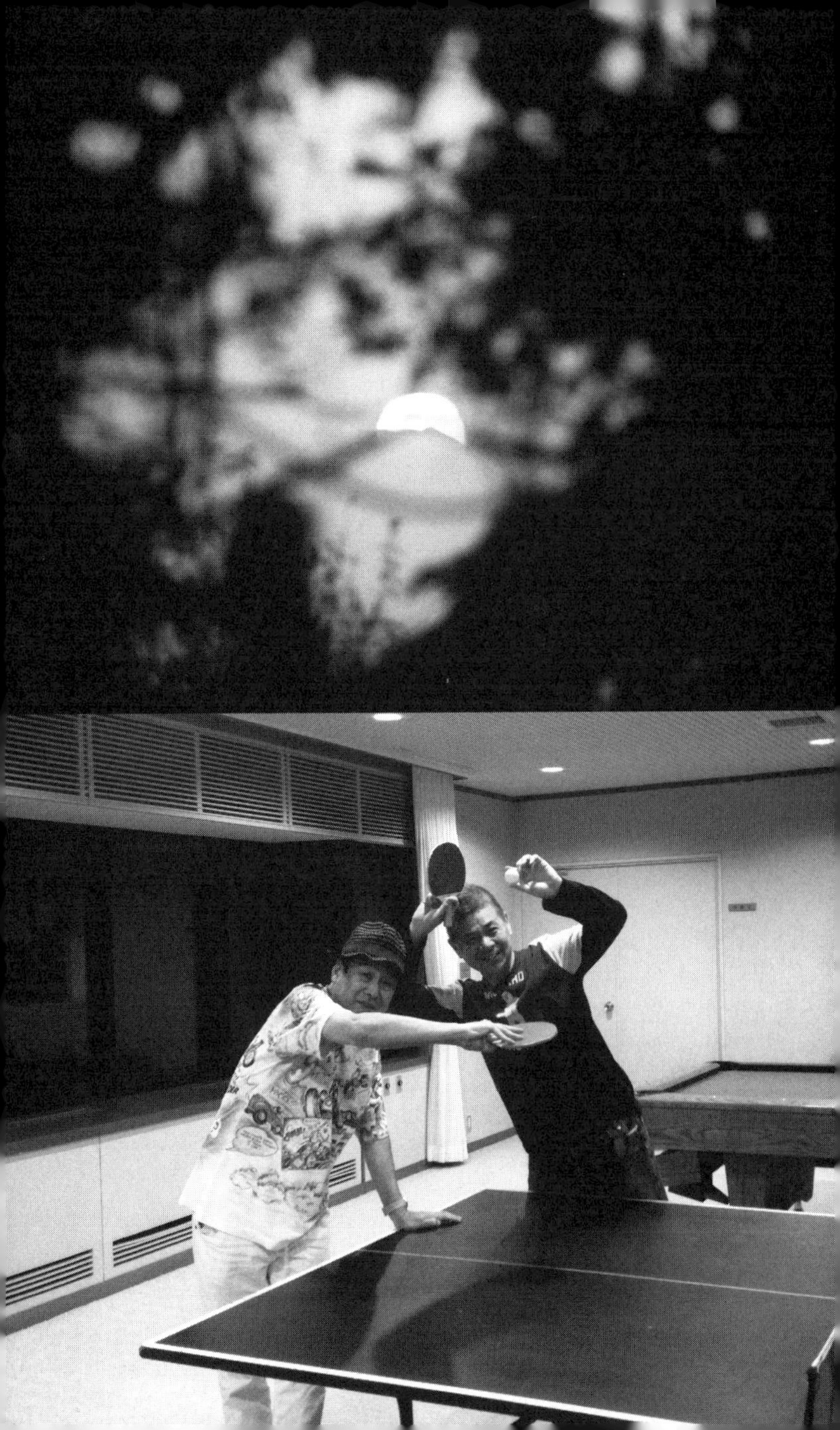

ヨコオ式カレーの秘密

糸井　最近、カレーはめしあがってますか？　以前はお好きでしたよね。

横尾　カレーでこの前、えらい目に遭ったんだ。去年の五月ぐらいかな。それ以降、カレーはぜんぜん作らなくなっちゃった。食べたいとも思わない。

糸井　あららら。おなかをこわしたんですか？

横尾　カレーが悪いんじゃなくて、そのときに飲んだ胃薬が悪かったんだけど。

糸井　じゃあカレーのせいじゃないですね。カレー、濡れ衣じゃないですか（笑）。

横尾 だけど、要するにカレーを食べたから。

糸井 イメージ的にカレーだったというだけで。

横尾 うん。

糸井 それで、そのとき以来カレーは食べない、と。えらい目に遭った思い出を上手に忘れられればいいですね。

横尾 なんでああなったのかよくわかんない。

糸井 横尾さんにまたカレーを好きになってもらうために、また「カレーの恩返し」[※1]と山梨の糸力[※2]カレーをお送りしますよ。

横尾 あ、糸力。あのカレー、まだあるの？

糸井 ありますよ。頼めば冷凍で送ってもらえます。

横尾 冷たいカレー？

糸井 いえ、食べるときはあたためます。

横尾 カレーの冷たいのって、おいしいよね。

※1 ほぼ日が企画販売しているオリジナルのスパイスミックス。

※2 富士吉田にある地酒とカレーの店「糸力」のカレー。

糸井　冷たいカレーが？

横尾　そう。夜にカレーを作って、ぬくいのを食べるじゃない？　その場合、ごはんもあたたかいし、カレーもあたたかいです。

糸井　はい。

横尾　で、次の朝か昼、またカレーなのよね。かみさんがカレー食べないから。自分で処分しなきゃいけないわけ、我が家は。ゆうべのカレーを煮詰めると味が変わって胸焼けするので、あたためない。その「冷やカレー」をあたたかいごはんにかけて食べるの。

糸井　へぇええ。

横尾　その明くる日、三日目はね。

糸井　その次の日？

横尾　三日目は、前の日のごはんも冷めて「冷やめし」になるわけよ。今度は冷やカレーを火であたためて、冷やめしにかけて食べる。すると味が三回違う。

糸井　しぶとい食べ方ですね。

横尾　ぼくがいちばん好きなのは、「冷やめしに熱カレー」なの。

糸井　三日目のね。

横尾　普通は、熱めしに熱カレーでしょ。その次の日が熱めしに冷やカレー。最後に冷やめしに熱カレー。

糸井　冷やカレーって、どんな感じだろう?　そういえばカレーパンの中身は冷やカレーですね。

横尾　カレーパン、ぼくは嫌いだよ。

糸井　嫌いですか、おいしいですよ。

横尾　カレーとパンは絶対合わない。相性の問題だね。

糸井　カレーパン以外であんまり冷たいカレーを食べた覚えがないなぁ。

横尾　それはめずらしいね。

糸井　要するに、カレーをあたため直さずに、ごはんにかければいいんですね？　でもついあたためちゃうなぁ。

横尾　あぁ、その「つい」というのがダメだよ。

糸井　（笑）ダメなんだ。

横尾　安易にあたためすぎると胸焼けするんですよ。鮮度が落ちて、味もちょっと変わるし。

糸井　そうなんですか、冷たいカレー、ちょっと試してみます。

横尾　うん。それでね、いちばんダメなのは、四日目に……。

糸井　え？　まだ食べるんですか？　それはもうよしたほうが……。

横尾　うちはかみさんがカレーを食べないから、カレーを作ると結局ぼくしか食べない。だから一度作ると四日分あるわけよ。四日目になると、熱めしに熱カレーになる。もう一回、最初に戻るわけ。だけど、その頃はすでにそのカレーが四日目だからさ。

糸井　魂が抜けてますね（笑）。

横尾　そう、抜けてる。

糸井　めしは大丈夫ですよね。

横尾　え？

糸井　めしのほうは、新鮮なめしですよね？

横尾　めしのほうは大丈夫だよ。

糸井　とにかく四日目はカレー自体がよくない、と。横尾さんがそんなふうにカレーを食べてるとは知りませんでした。

横尾　みんなそうしてるんだと思ってた。

糸井　あんまりしないと思います。

横尾　熱めしに冷やカレー、冷やめしに熱カレー、まぁどちらもいいよ。あと、もうひとつあるんですよ。冷やめしに冷やカレーもうまいんですよ。

糸井　そうなんですか。

横尾　それはね、二日目の夜に食べるのよ。その場合は、昼と夜、続けて食べなきゃいけないけれどもね。

糸井　わははははは。

横尾　昼は、あたたかいごはんを炊いて、前の日のカレーをかける。夜になると、めしも冷えるじゃない？　前の日のカレーもやっぱり冷えたままもう一回。「冷や冷や」もけっこういいですよ。

糸井　それ、誰かにすすめてみて「よかったよ」と言った人が、これまで横尾さん以外にいましたか？

横尾　ぼくはこんな話、誰にもしないよ。今日がはじめて。誰にも言ったことがない。とにかくうちのかみさんはカレーが大嫌いだから、作った分、全部ぼくが食べる責任があるから。

※3　このときのおしゃべりは対談ではない。仕事の打ち合わせでメモがわりに録音していた雑談の音声がもとになっている。このカレーの話が今後どこにも出ていかないことがあまりにもったいないということが「YOKOO LIFE」が連載されるきっかけとなった。

創作の秘密は話さない

横尾　カレーの食べ方については、あんまり人に広めたくないの。

糸井　伝わりにくいとは思いますが。

横尾　自分だけの秘密にしておきたいわけ。ちかごろはだんだん人に秘密がなくなってると思わない？　みんないろんなところに書いてしまって、すっかり秘密がなくなってるんだよ。

糸井　そうですね、わかります。

横尾　ぼくはね、ツイッターにも本にも新聞[※1]の連載にもどうでもいいことばっかり書いてる。本当の秘密はしゃべらないよ。

糸井　それも、とてもよくわかります。

※1　横尾は朝日新聞書評委員。

横尾　創作の秘密なんて絶対に書かないもん。

糸井　創作の秘密は、あるに違いないですよね。

横尾　そうですよ。

糸井　あるに違いない。でも、人から訊かれたときは「ちょうどいいところ」だけをしゃべることになりますね。

横尾　うん。その先は想像させたり、あるいは、自信をなくさせたりするわけです。

糸井　そうなんですか（笑）。絵を描く友人同士が直接問答する場合には、強く自信をなくさせたりしますか？

横尾　絵を描く友達は、ひとりもいない。でも、いたら自信なくさせるようなことを言うことにしている。

糸井　ええ（笑）？　でも、グループは組んでたじゃないですか。宇野亞喜良[※2]さんたちといろんなことしたり、ほかにもいろいろあったでしょう。

※2　一九三四年生まれの画家、グラフィックデザイナー。幻想的な線画が特徴。舞台美術も手がける。

横尾　グループったって、営業用のグループだからさ。

糸井　ははぁ。

横尾　創作はお互いバラバラにやってるんだよ。それに、宇野さんや和田[※3]くんの秘密がわかったからってどうしようもないよ。宇野さんや和田くんの、あんな絵はぼくには描けないし、描かない。

糸井　なるほど、なるほど。

横尾　だけどもね。そうやって自分では「絶対に秘密を言わない」と思ってるんだけど、その秘密は他人からすると、たいした話じゃなかったりするんだよね。

糸井　いやいや、わかんないですよ、それは。

横尾　言わなきゃわかんないね。でも、言わないからわからないよ。

糸井　横尾さんは、話す量は多いほうかもしれないし、秘密を漏らしてるようにも見えるんですが、けっこう黙っているのかも

※3
和田誠。一九三六年生まれ。イラストレーターの草分け的存在。映画監督。二〇一九年に亡くなる。

しれないですね。

横尾　秘密の手前までは行くのよ。あとひと言で秘密に行くんだけど、手前でやめとこ、って感じなのかな。自分にも秘密にしとかなきゃ。秘密をがまんするのは難しい。

糸井　横尾さんはどういうときに秘密のやりとりをするのでしょうか。鍼灸院でマッサージ[※4]をしてもらってる時間なんてどうですか？

横尾　マッサージをしてくれる人に？

糸井　そうです。お医者さんとか。

横尾　マッサージの場合は、ぼくが話すんじゃないんだよ。逆だよ、逆。

糸井　相手が話すんですか。

横尾　ぼくはいつもだいたい「一時間」でお願いしてて、この段階で三十分サービスしてくれてるんだけど、もうちょっとやってほしいなぁ、という場合があるでしょ？　そろそろ終わり

※4　横尾も糸井もマッサージが好き。マッサージ中に眠るのが好きな糸井と、それが「もったいない」という横尾。

糸井　そうだな、というときに、相手が気に入りそうな話題を振っていくの。

横尾　横尾さんから振っていくんですか。

糸井　そう。その話題を、今度は相手がしゃべりだすわけ。そうすると、話題が終わるまでは、マッサージをやってくれるからさ。

横尾　すごいテクニックですね。

糸井　だいたい十五分は引っ張ってくれますよ。向こうも、引っ張られてることはわかってるの。「わかってるけども十五分超過してもいいわ」みたいな感じだよ。そのかわり自分の話がしたいわけだから。だってさ、そうしないとおもしろくないじゃない。

横尾　先方は毎日やってることですもんね。横尾さん、マッサージの時間をいっそ二時間[※5]にしたらいかがですか？

糸井　サービスさせるのがクリエイトなんだから、最初から長いの

※5　糸井は時間長めのマッサージが好き。

はダメ。でも、なかには五時間やる人もいるらしいね。

横尾 五時間はちょっと長いですね。

糸井 ぼくを担当してくれてる人が言ってたの。とにかくやせたいんだって。毎回五時間だよ。オイルマッサージらしいけど。

横尾 やる側もたいへんですね。

糸井 たいへんだよ。その間休憩なし。五時間ぶっ続けで週二回。半年近くやって、結婚したらしい。どのくらいやせたかは知らないけど。

横尾 そこは聞いてないんですか（笑）。

糸井 たぶん結婚相手の男が「やせろ」と言ったんじゃないかと思う。そんなやつと結婚しなきゃいいのにさ。

横尾 ねぇ。そうか、結婚式の準備でね。

糸井 よっぽどお金持ちなんですよ。オイルマッサージって一時間八千円くらいするんです。五時間だと一回に四万円ですよ。

糸井　うーん、そうですね。

横尾　四万円で週二回で八万円でしょ、それが一か月四回で三十二万円かかる。

糸井　なんだか運転免許最短コースみたいな感じですね。

横尾　それはぼく、よくわかんない。

糸井　値段的にそのくらい、という意味です。

横尾　そうなの？　言ってる意味がぜんぜんわかんない。運転[※6]のこと、わかんないからさ。

糸井　運転免許を取得するには、三十万円くらいかかるんですよ。

横尾　「あ、そうですか」って、言うよりしょうがない。

糸井　(笑) えーっとですね、ひとりの人が自分に投資する額として、運転免許のお金はわりと通じるかなと思ったけど、横尾さんは自転車の人でしたもんね。

横尾　うん、そうね。

※6
横尾は車を運転しない。もっぱら自転車派。

糸井　横尾さんにとって、三十万円単位のものはいったいなんでしょう。「これに三十万円使う」ということが……。

横尾　そんなん、ないよ。

糸井　ないですね。

横尾　ホテル一泊でもそんなにかからないし。飛行機も乗らないしさ。

糸井　安上がりな一生ですね。

横尾　ホント、そうですよ。タクシーぐらいだね。

糸井　タクシーは三十万円も乗らないでしょ。

横尾　三十万も乗らないけれども、唯一の贅沢はタクシーです。京都から長野経由で東京まで十万円。タクシー料金の安い頃の話だけどね。贅沢は、そのくらい。あとは、ホテルの部屋をツインにしてもらうとか。狭い部屋が嫌だからね。スペースが広くないとダメ。

POPS HITS GRAFFITI Vol.11
懐古・昭和歌謡
お富さん／おんな船頭唄
懐古・昭和歌謡
影を慕いて／リンゴの唄
懐古・昭和歌謡
落葉しぐれ／若いお巡りさん
SONY RECORDS SRCS 8412
BOB DYLAN THE BEST OF BOB DYLAN
OLYMPIA BRYAN FERRY
PUKUHANH

何度もしている話

糸井　ホテルといえばで思い出したんですが、『うろつき夜太』[※1]が復刻されましたよね。ぼくはあの本を、古いのも含めて三冊は持ってます。

横尾　三冊全部『うろつき夜太』なの？

糸井　はい。ぼくにとって『うろつき夜太』は「こんなことができるんだ！」と思わせてくれた本です。柴田錬三郎[※2]さんと横尾さんのわがままぶりや追い詰められぶりがわかって、すごくおもしろい。

横尾　あれをやってるときは、ホテルに一年間かんづめ[※3]になってた。

※1
柴田錬三郎作、横尾忠則画の時代小説。一九七三〜七四年にかけて「週刊プレイボーイ」で連載。

※2
一九一七-七八年。作家。時代小説で一大ブームを起こす。

糸井　そうそう。横尾さんは部屋の絵まで描いてましたよ。「何号室にいる」とか。

横尾　そうそう。三六六ね。三階の六六。

糸井　ホテルにかんづめで、朝になると、柴錬さんと横尾さんはお茶を飲む。それが時代小説の挿絵になってるなんて、とんでもなくおもしろくて。

横尾　あれは小説の連載だったんだけど、柴錬さん、アイディアが出てこないときがあるわけ。不眠症でね。昼間はどないしていいかわからないの。それで、なんでもいい、どんな話でもいいからぼくにしゃべらせる。その間ずーっと、何か考えてるみたい。それでも書けないと「じゃあ、お茶を飲んでることの状況を小説にしようか」なんてことになったりする。だから、時代小説にぼくが出てきたり、編集者が出てきたり、モデルの田村亮[※4]さんが出てくるわけよ。

※3
作家などの制作者に対し、編集者やプロデューサーが、作品を完成させるまで部屋に閉じ込め、〆切に間に合うように仕事に打ち込ませること。

※4
一九四六年生まれ。俳優。阪東妻三郎の四男。時代劇をはじめ、映画やドラマで活躍。田村正和の弟。

糸井　その苦しまぎれぶりがすごくて、「そんなことがアリなんだ」と当時は本当に驚きました。

横尾　小説なのに、ぼくの挿絵のほうが早くできるんだからね。小説読んでから絵を描くということは、めったになかった。

糸井　『うろつき夜太』を連載していたときは、ふたりともずっとホテルにいたんですか？

横尾　ずっとかんづめ。週刊誌で連載してたわけだから。

糸井　柴田錬三郎さんが小説書いて、横尾さんが絵を描いて。

横尾　柴錬さん、原稿ギリギリなんだよ。だけど遅い人ではないんです。〆切にはちゃんと間に合う。モラリストです。編集者はそういう意味ではあんまり苦労しなかった。野坂昭如さん[※5]みたいに、どこかに飛び出していって帰ってこないとか、そんなことはなかったよ。

糸井　だけど、横尾さんの絵のほうが柴錬さんの原稿より早くでき

※5
一九三〇-二〇一五年。作家。〆切をかわすためのさまざまな「居留守」エピソードを持つ。

ちゃうんですね。

横尾　だって、六ページ分の絵を描かなきゃいけないから、早く描かないと間に合わないんだよ。だいたいぼくは時代小説なんてそれまでやったことなかったから、最初は断ったの。でも、編集者が「横尾さんね、柴錬さんと仕事するってのはたいへんなことですよ。ああいう人といっしょにやるってだけでも、魅力的じゃないですか」なんて言う。そりゃぼくも柴錬さんには会いたいけども、時代ものって、独特のタッチがあるでしょう。

糸井　しかも、その時代をよくわかってないと描けないですよね。

横尾　そうそう。デッサンできるだけじゃダメなわけよ。着物をどう着たとか、刀の持ち方とかちょんまげの結わえ方とか、そんなの知らないからさ。しかも最初は、一ページだけの白黒の仕事だったんです。「これ、画期的ですよ」って編集の彼は言うわけ。確かにページ全体を使って絵を描くなんてことは、当時の週刊誌にとっては画期的だったけど、一ページ白黒じゃ画期的と言わない。

糸井　結果はそれどころじゃないですよね。

横尾　それなんだよ。ぼくはその話を断る手段として、「全部カラーだったら描いてもいいけどね」って言ったの。

糸井　あちゃあ。

横尾　そしたら断ることができると思ったわけ。「そんなムチャ言わないでくださいよ〜」なんて言って、おしまい。その電話を切ってホッとしていたら、しばらくしてまたかかってきた。編集の人が「やろうじゃありませんか」と言うわけよ。

糸井　しまった（笑）。

横尾　「全部カラーでいいですよ」しかも見開き三つ、六ページのカラーです。

糸井　それは現在でもありえない量ですね。

横尾　そうでしょう。それでぼくはそうとう困ったなと思ったわけよ。カラーで、時代劇でしょ？　白黒ならごまかせるけど、えらいことになってしまった。そこでまた、別の条件をつけることにした。「モデル[※6]がいないとぼくは描けません」

糸井　えぇぇぇ？

横尾　しかも、田村正和[※7]さんで。

糸井　えぇぇぇ？

横尾　編集者がモデルをやると言ったけど、それじゃ描く気がしないからね。そうしたら「田村亮さんならＯＫです」とまた返事が来たんです。

糸井　田村亮さんって、つまり田村正和さんの弟ですよね。すごい。

横尾　どんどんどんどん向こうが条件をクリアしてしてしまった。

糸井　それはもう、やるしかないですね。

※6　横尾は通常、写真や実物を見ながら絵を組み立てる。

※7　一九四三生まれ。俳優。「古畑任三郎」などで知られる。二〇二一年に亡くなる。

横尾　そしたら編集の人が最後に「こちらからもひとつ条件を出していいですか？」と言ってきたの。興味あるから「どんな条件？」って訊いたら、「柴錬さんと横尾さんのおふたりには、一年間、高輪プリンスホテル[※8]にかんづめになってもらいます。でも、普通のかんづめじゃなくてびんづめです」なーんて言うわけ。

糸井　びんづめってなんですか。

横尾　「かんづめは外から穴をあけなきゃいけない。びんづめは内側からもフタが開く状態のことです」

糸井　なるほど、なるほど。

横尾　それが編集部の条件だったので、ふたりともびんづめになりました。

糸井　柴錬さんのほうも、よく引き受けましたね。

横尾　柴錬さんは、ホテルから坂をトコトコ下りたところが自分の

※8
品川駅近くにある大きなホテル。現名称はグランドプリンスホテル高輪。

家だった。だから、なぜ近所のホテルにかんづめになるのか、そこまでやる必然はなかったと思うんだよ。だけどまぁ、小説をしょっちゅう書くんだから、ご家族と毎日顔をつき合わせるのも、面倒くさいかもしれないでしょ。

糸井 うーん、だけど、柴錬さんにしても横尾さんにしても、一年のかんづめはたいへんですよね。

横尾 でもびんづめだから家に帰ろうと思ったら帰ってもいいんだよ。「旅行してもいいし、どこ行ってもいい、よその仕事してもいいですよ」なんて言うからさ。

糸井 かんづめになっていると、見開き三つ分の絵は、旅行したりしても描けちゃうもんなんですか。

横尾 描けますよ。三日も四日もかからない。一日で描けちゃうよ。だけどね、ぼくはこういう話自体あんまり興味がないんだよ。だってぼくは何度もこのことを糸井さんにしゃべってるんだからさ。

糸井　え？

横尾　この話、今日がはじめてじゃないから。

糸井　この話？

横尾　前もしてるはずなのよ。

糸井　いや、そうかもしれないけど、きっとそれぞれどこかがちょっと違うんですよ。

横尾　いや、ぼくは同じ話をしてるんだけども、聞く側が違うんだと思う。

糸井　ああ、なるほど。受け手の聞き方が違う、と。でも、そうかなぁ。同じですか？

横尾　うん、ぼくはまったく同じ話をしてる。

糸井　ホントかなぁ（笑）。

横尾　ホントですよ。言葉づかいが違う程度でさ、中身はそのまま同じにしゃべってるよ。糸井さんは、その間に別のことに興味が出てきてるから気づかないんだよ。

糸井 違う興味になってるんでしょうか。

横尾 そうだよ。聞き上手な人は空想も上手です。

KARHUJEN
MAASTA

横尾さんの道具
KOJI

絵はすべて未完成

糸井　横尾さんは画家としての作品のほかに、イラストレーションの仕事もあるし、装丁もたくさんなさってますよね。

横尾　そうね。なんていうのかな、絵は本業という感じはしないわけよ。ぼくは絵でメシ食ってないから。

糸井　えっ？　そうなんですか。

横尾　もしも絵が全部売れて、経済生活のすべてをまかなえるんだったら絵が本業と言えるんだろうけど、そうとは言えないです。

糸井　それは知らなかったです。

横尾　描いてるうちはどれが売れるのかもまったくわからない。しかしデザインの場合は百パーセント買い手がつくでしょう？

横尾 デザインは誰かに頼まれてやる仕事ですから。

糸井 それはもう、はっきりとビジネスですよ。絵の場合はビジネスじゃないです。

横尾 なるほど。

糸井 絵だって、たまにはオファーがあるんですよ。「肖像画を描いてください」なんて言ってもらえることもあるから、そういう場合はビジネスだったりします。

横尾 そういうこともあるんですね。

糸井 だけどそのときは、そんなには力を入れて描かないようにしてるの。力を入れちゃうと、たぶん頼んでくれた人が嫌がるから。

横尾 そうですか、なるほど。

糸井 なるべく力を抜くようにして、誰が描いたかわかんないような、その人に似ていて、よく描けている、という絵を描きます。そういう絵を結局はいちばんよろこんでくれます。

糸井 だけどその「ビジネス」以外の時間は、仕事ではない絵を描いてらっしゃるわけですよね。その絵はアトリエにたまっていくんですか？

横尾 たまっていきます。時間が経って、展覧会で発表したときに、「買いたい」という人が出てくるかもしれないけど、ま、出てこないことのほうが多いです。買う人のスピードに追っつかないぐらいたくさん描いてるから。

糸井 そうですね、とにかく横尾さんは、作ってますからね。

横尾 買う人のスピードなんて、ないも同然だよ。描くほうはすごいスピードですよ。

糸井 絵の買い手は、美術館がメインですか？

横尾 一般の方に絵そのものが売れるということは、ほとんどありません。でもときどき展示を見て「ここにあるのは大きすぎるから、こういう感じの絵を小さいサイズで描いてくれますか?」と言われることもあります。そういうこともあって、ぼくの反復作品は増えていくわけ。

糸井 横尾さんは以前、反復をテーマにした展覧会をやりましたよね。反復をたのしんでいるようにも見えました。

横尾 「反反復復反復」[※1]展です。反復で数が増えていくおもしろさはありますよ。ひとつの絵で七、八点描いてるのもあるんじゃないかな。

糸井 版画で刷っているわけじゃなくて、ひとつずつ最初から描いてるんですよね。

横尾 うん。

糸井 そういうことをやってる画家は、歴史的に見て横尾さんのほかにいますか?

※1 二〇一二年に横尾忠則現代美術館で開催された。

横尾　たとえば、モネ[※2]。ルーアンの教会や、女の人が傘をさして堤防の上に立ってるやつとか。デ・キリコ[※3]も同じ絵をけっこう描いてる。ぼくは人からの要請で描く場合もあるけれども、同じテーマでもう一回描いてみたい。誰だって、自分の作品の系列に入ってないようなものは、なるべくやりたくないわけでしょ。ぼくはそれがやりたい。

糸井　横尾さんはいつも新しいこと[※4]に挑戦なさっているけど、反復もしていく。

横尾　新しいことを考えるのは好きなんだけど、それと同時に、いつもどこかで努力しないことを考えてる。努力しない努力論って、あるじゃないですか。

糸井　もんのすごく難しいけど、わかる気はします。

横尾　みんなが努力をしているけれども、ぼくは、できれば努力したくない。努力しないで成功した人は、いっぱいいます。ア[※5]

※2
クロード・モネ。一八四〇－一九二六年。フランスの印象派画家。

※3
ジョルジョ・デ・キリコ。一八八八－一九七八。シュルレアリスムの画家。

※4
横尾は、まったく同じ手法で描いた絵はないという。

ンディ・ウォーホルなんて、あんまり努力してないでしょ。

糸井　いまの歌手は新曲ばかり出すけど、ときどき昔の歌をうたうこと、ありますよね。お客はそれをよろこんだりするし、もしかしたら古い歌から見つかる新たな何かがあるかもしれない。古い歌の中に何かがまだまだたっぷりある。反復はそのこととなんだか似ている気がします。[※6]

横尾　うん、そうね。歌の場合にはなんだっけ？　リメイクじゃなくて、なんだっけ？

糸井　リバイバル？

横尾　リバイバルっていうんだっけ？　そんな難しい言葉じゃない、もっと簡単なやつでさ。

糸井　カバー？

横尾　カバーだ。美術界はカバーなんていわないだろうけど、やってることはカバーみたいなもんです。自分のカバーをやるこ

※5
一九二八－八七年、アメリカの画家。ポップアートムーブメントを牽引。

※6
糸井は竹内まりや作詞作曲の「駅」が好きで、中森明菜、徳永英明など、さまざまな歌手の「駅」を運転中によく聴いている。

ともあるし、誰かをカバーする場合もあります。

糸井　ああ、そうですね。横尾さんは両方、やってらっしゃいます。

横尾　絵も歌と同じで、その一枚では終わってないの。絵は、いってみれば全部が未完成です。どっかで手放さないと、終わらない。だからぼくは、一生のうちに一点の絵だけを毎日描き続けるのも、おもしろいと思う。今日と昨日と明日の絵が変わるでしょ？　それを写真だけで記録しとくの。

糸井　それはおもしろいでしょうね。

横尾　キャンバスを買うお金がなかったら、さらにいいよね。描き重ねたのをレントゲンで撮って発表するとかね。

絵を所有すること

糸井　横尾さんの絵はいま、神戸の横尾忠則現代美術館[※1]にたくさん収蔵されていて、ぼくらも見ることができます。

横尾　あの美術館にある絵には寄贈と寄託があります。「なんとなく」で寄贈してるから正確な点数はわからないけど、二百点くらいは寄贈なのかな？　あとの絵は寄託。つまり預けてるわけ。

糸井　預けている絵と寄贈の絵は、違いがあるんですか？

横尾　寄託作品は、売り買いが自由にできるんです。もし誰かが欲しいと言った場合、自由に動かせる。美術館にあげてしまったやつを売るわけにはいかないからさ。あとは、作品の中に「こ

※1
横尾忠則現代美術館は二〇一二年一一月開館。企画展やワークショップなどを定期的に開催。全国からたくさんの人が鑑賞に訪れる。

れに手を加えるとおもしろいかもしれない」という絵があって、それは一応寄託にしてる。いつか手を入れるだろうなと思うほど、ぼくの作品はほとんどが未完だけど。結局手を入れないまま死んじゃうかもわかんない。時間もないし、何もかもはできないからさ。最近は、人が死ぬのが早いでしょ。

糸井 だけど、絵描きさんってけっこう長生きですよね。

横尾 どっちかっていうとね。

糸井 それはやっぱり、好きなことをやっているからですか？

横尾 あんまり社会的なことに興味を持たないからじゃないの？外に興味を持つと、煩わしいことと関わらなきゃいけないから。ぼくの場合は考えない。思考停止状態で描くから。

糸井 社会的になると、たしかに煩わしくなりますね。

横尾 最初から政治家だったり、最初から企業家なら、それが商売だからいいと思う。煩わしいことやったって、ストレスにもならないだろうけど、クリエイターはダメだね。矛盾しちゃうわけ。

糸井 芸術家は、社会に関わらないほうが、長く生きるにはいい、と。

横尾 うん。絵描きさんで長生きしてる人はみんな、世の中にぜんぜん興味持ってない。ジョン・レノン[※2]みたいに、世界を変えようとか、ああいうふうになると、病気で死ななくってもそういう状況を作っちゃうわけよね。アンディ・ウォーホルでさえ、そういう状況を作ってしまった。

糸井 そうですね。社会があってこそ意味がある、という方向に行きたい気持ちがあるのもわかるけど。

横尾 ヨーゼフ・ボイス[※3]っていう、現代美術家がいるでしょ。ボイスも政治に興味を持ったり、緑の党を作ったり、なんやかんやして、六五ぐらいで亡くなっています。平山郁夫[※4]さんだって、長生きしたほうだとは思うけど、東山魁夷[※5]に比べたら短い。

※2
一九四〇 - 八〇年。イギリス出身の音楽家。ビートルズではギター、ボーカル、曲作りを担当。横尾とは、妻のオノ・ヨーコとともに交流があり、いっしょにテレビ番組に出演したこともある。

※3
一九二一 - 八六年。ドイツの現代美術家。若い頃から社会活動を行う。

※4
一九三〇 - 二〇〇九年。日本画家。日本美術院理事長、ユネスコ親善

もし平山さんが、根っからの政治家だったら、もっと長生きできたと思う。

糸井　そうすると、流れ的には、横尾さんは長生き派になりますね。

横尾　そういうふうになりたいと思っているんだけれども、学問や世の中に対する興味関心が、やっぱりぼくの頭の中にもあります。だけどそれを行動に移してどうこうすることは、まずない。それでよかったと思ってる。

糸井　横尾さんが誰かの絵を買うことって、ありますか？

横尾　これまでいろんな人の絵を買いましたよ。絵を買った日はたいてい寝られない。

糸井　え？　そうなんですか。

横尾　何日も寝られない。寝られないからトイレに行って、買った絵のある部屋に入って、電気つけてジーッと二時間ぐらい見て、また寝るんだけど、やっぱりもう一回見に行こう、とかやっ

大使などをつとめる。七九歳没。

※5
一九〇八-九九年。昭和を代表する日本画家といわれる。九〇歳没。

ちゃう。絵を買ってしまうとそんなことばっかり。

糸井 ぼくも多少のお金を出して買ったことはありますが、それはおもに版画でした。

横尾 ああ、版画はねぇ。

糸井 そう、違いますよね。

横尾 版画はインテリアにできる。

糸井 デヴィッド・リンチ[※6]監督が描いた絵も、うちの事務所に飾ってあります。それはリンチが映画監督だという安心感があるんですよ。

横尾 そうだね。彼はやっぱり映画のほうに命かけてるから。

糸井 怖さはそんなにありません。

横尾 そうなんだよね。ある人が描いた絵を、家の中で所有しているというだけで、自分の人生——人生っていったらおおげさだけど、生活や意識に食い込まれるんですよ。作品がまるで

※6 一九四六年生まれ。アメリカ出身の映画監督。

糸井 自分の一部のような気がしてくるんです。絵を投資の対象にしてる人は別だけどね。

横尾 投資の人って、もはや絵の世界にあんまりいないでしょう?

糸井 いや、いるいる。日本だと、絵を買うのはほとんどがコレクターですよ。

横尾 そうなんですか。ときどき「企業が買う」ケースがありますね。

糸井 あれはほとんどが税金対策でしょ。身を削ってないお金だから、切実さはないかもわからないね。ロサンゼルスに、フレデリック・R・ワイズマン※7という、大コレクターがいるんですよ。死んじゃったけどね。その人は、結婚したときにロサンゼルスで四つの部屋を借りたんです。どの部屋にも絵がないので、奥さんとふたりで街へ絵を買いにいくことにした。絵のことはぜんぜんわかんなくて、どっかの画廊で無名の作家のをとりあえず四点買って帰ったんです。しかし一週間も

※7 一九一二-九四年。アメリカ、ミネアポリス出身の事業家。アートの後援者としても名高く、膨大なコレクションはワイズマン美術館にも収蔵されている。

しないうちに飽きちゃった。また次の絵を買いにいって――、そうしているうちに、気づいたら大コレクターになっていたんです。大コレクターになると同時に、トヨタのディストリビューターにもなっていた。アメリカのトヨタは、ワイズマンを通して会社を六つも作っちゃうことになった。

糸井　すごいですね。

横尾　その人、ぼくのところへも来たんだけれども、「あなたのいちばん大きな絵が欲しい」と言うんですよ。絵は見ない。見なくても、いちばん大きいのを買ってくれた。そこでぼくは「あなた、なんでこないなったんですか?」と訊いてみました。

糸井　ええ。

横尾　最初は奥さんと絵を買いにいって、だんだん興味をもった。作家を知りたくて画集も買ったりしているうちに、美術的な考え方が身についていて、自分の商売の世界にも影響しはじめたんだって。そしたらまわりから「ワイズマンの言うことはおもしろい」ということになっちゃって、なぜか商売のほうも「あれにまかせておけば大丈夫」と言われるようになって、大きな六つの会社の社長さんや会長さんになっちゃった。

糸井 へぇえ。

横尾 おもしろいよね。

糸井 はい。さきほど、芸術家が社会と関わりをもたないほうがいいという話がありましたが、その逆の、社会に生きている人が芸術に関わりをもつのはいいことなんでしょうね。

横尾 芸術を通して、事業をクリエイトしていったわけ。ぼく、その人の家へ行ったんですよ。日本のアメリカ大使館とか、あんなものよりもっと大きかった。家の中に谷があって川が流れててね。各部屋に絵がありました。そして彼はとうとう美術館も作りました。サンフランシスコの近代美術館の館長をひっこぬいて、自分のところの美術館の館長にさせちゃった。そのぐらい、信頼の厚い人だった。

糸井 人を動かせる人だったんですね。

横尾 それも美術の発想が影響してるんじゃないかな。

糸井 ひっこぬかれた人だって、よろこんで来たんでしょうね。

横尾 もしかしてサンフランシスコで定年だったからかもわからないけどね（笑）。

糸井 横尾さんは絵を買うときに値段を気にしますか？

横尾 それ以前に、まずぼくは家にお金がいくらあるか知らないんだよ。

糸井 わははは。

横尾 うちのかみさんしか知らない。だから、買うものが八百万なのか一千万なのかもわからないうちに「これが欲しい」と言う。お金はかみさんが払うから結局わからない。

糸井　きっと横尾さんは、いまも昔も「お小遣いで暮らす人」ですね。

横尾　あんまり使うことがないからね。

糸井　生活必需品で生きてる感じがしないです。

横尾　いや、そういう絵のたぐいが、ぼくにとっては生活必需品なんですよ。

糸井　ああ、そうかそうか。

横尾　うん。たとえばぼくがUFO[※8]が好きだったときは、UFOが生活必需品だった。あれがないと困るんです。

糸井　そうなんでしょうね。

横尾　「昨日は見たけど、今日は見てないじゃないか！」ということになるわけですよ。

糸井　UFOがもっとも身近なものであった、と。

横尾　うん。いまはもう関心が薄れたので、UFOが出たって、どうってことないけどね。いまはUFOより猫のほうが生活必需品

※8
横尾は幼い頃から不思議な経験をしてきたが、高校生のときに初めて遭遇して以来、ひんぱんにUFOを見ることになる。

になったから。

糸井 ある意味、ＵＦＯは家族だったんでしょうね。

横尾 あのね、みなさんはＵＦＯが幻想だとか無意識から出るものだとか、ややこしいこと言うけど、そんな話じゃないんですよ。本当に出るんですよ。あんまりムキになって言うとあれだから……。

糸井 違う次元の話になりますからね。

横尾 いまは自分の中に内在化している。

糸井 絵の話に戻りますが、いま、個人の家や事務所で絵をどこに飾るか考えるのは、ちょっと難しいですね。公共の場所でも、絵が大きければ大きいほど飾る場所がなくなってきているかもしれない。

横尾 そういう「置く場所を考えて絵を買う」なんていうことじゃダメだよ。物質としてしか絵を考えていない。そうじゃなくて「置くとこがなくても買いたい！」っていうのがないとさ。

糸井 ダメですか。

横尾 まぁ、なんというか、絵はもっと精神的なものだよね。「この絵を買ってトイレに置こうかな？　玄関に置こうかな？」なんて思いながら買うんじゃなくて。

糸井 でも、具体的に買うとなれば、絵はある程度の大きさがあるものでしょう？

横尾 絵を本当に欲する人というのは、自分の家のサイズなんて、そんなのぜんぜん考えてないよ。とにかく絵が欲しいんだよ。

糸井 じゃ、下手したら、絵を横向きに置いてる人もいたりするんでしょうか？

横尾 ああ、ぜんぜんかまわない。裏向けてても、どうしててもかまわない。ただし倉庫作ってそこに放り込むのはダメだよ。絵は生活と人生の一部だから。

糸井　投資以外だったら、買って何しようがかまわない、と。

横尾　投資の対象ったって、絵の値段は上がり下がりが激しいですからね。売れてる人の絵ばっかり狙って買っていても、それは翌日に暴落する場合があるんです。なぜ暴落するかというと、コレクターがある作家のものを一気に手放すことがあるから。

糸井　ひとりのコレクターが、ですか？

横尾　そう。ひとりの人が「もう○○は要らん」と、仮に言うとします。そうすると、○○の絵を持っている人が危機感を持って、あわてて手放すんです。○○の絵が市場にすごい勢いで出てしまうと、オークションで一気に安値になります。アーティストはすごく困る。三十年前に世の中を席巻した人であっても、現在はまったく買い手がないこともある。「あげる」って言ったって、「えー、こんなの持ちたくない！」みたいなことが現に起こっているし、そういう画家はたくさんいるよ。

糸井　キャリアが長いと、いろんなことがあるでしょうね。

横尾　一気に爆発的人気の出た作家は要注意だね。バスキア[※9]なんかは、ものすごくいいときに死んじゃってる。絵の数もうんと少ないから、値段が高いよ。

糸井　不思議な世界ですね。

横尾　不思議だし、怖い世界だよ。

でもそれは要するに人間同士の世界だからこそ、ですね。

糸井　まさにそうなんだよね。マネービジネスの対象になっているからね。絵の値段を誰が動かしているかというと、ディーラーとコレクターです。コレクターが手放したとたんに市場がコロッと変わっちゃう。評論家なんてぜんぜん関係ない。評論家がいくら「これがいい」ったって、誰も信用しないからね。

横尾

※9　ジャン・ミシェル・バスキア。一九六〇 - 八八年。アメリカ、ニューヨーク生まれの画家。

糸井　絵描きさんはみんな、そういうことをだいたいは知ってるんでしょうか。

横尾　売れている作家はいつ身にふりかかるかわからないからね。無名の作家は心配ない。

糸井　うーん、そうかぁ。

横尾　でもね、数点描いて「いいところ」で死んでしまうよりも、選ばれて、頂点に行って、落ちるところまで落ちる人になりたいと、みんな思ってるんじゃないかな。そうなれる人ってそんなにいないから。

糸井　ダリ[10]はどうでしょう？　ダリがやっていたことは、そうとう戦略的だったのではないでしょうか。

横尾　彼は戦略的ですよ。しかしそれに加えて、技術がある。

糸井　そうか、おおもとの。

横尾　うん、おおもとの技術がある。誰かがダリの真似をしようっ

※10　サルバドール・ダリ。一九〇四‐八九年。スペイン出身の画家。シュルレアリスムの代表的人物のひとり。

たってうまくはいかない。「あんなに人気だったのに、そういえば最近展覧会がないなぁ」というアーティストはたくさんいると思う。それは人気というより、技術が関わっているんでしょうね。ダリは大衆的な人気で持っている。美術館は商売になるから展覧会をする。人気と評価は別です。

2020年3月31日発売 anan 特別編集「Olive」©マガジンハウス（写真・中島慶子）

ERIC FISCHL
PAUL KLEE

猫へ、アイラブユー

横尾　糸井さんは「ほぼ日」[※1]を二十年やってるけど、飽きっぽくないんだね。

糸井　飽きっぽいですよ。だけどわりとがまん強いんじゃないでしょうか。横尾さんもそうですよ。飽きっぽいけど絵を描き続けています。

横尾　けれども、絵の範疇で飽きっぽいから違うスタイルになったりするよ。

糸井　ぼくもそうですよ。

横尾　飽きることと忘れることとは関係あるかな。

※1　ホームページ「ほぼ日刊イトイ新聞」のこと。一九九八年創刊。

糸井　横尾さんもぼくも「忘れっぽい」という共通の特徴がありますね。だから、一度飽きてもそれを忘れちゃう。

横尾　あのね、荒俣宏[※2]さんはどんなテーマの仕事を頼まれても引き受けられるんだって。たとえば「空港について」の仕事が来るとするでしょ。そうすると空港に関する本を何冊か読む。そしたらもう、彼はすっかりわかるらしいの。空港の仕事が終わったら、空港のことを忘れるのかというと、忘れない。全部インプットされたまま。そういう人が世界中で何人かいるらしいよ。前に、荒俣さんと和歌山の水族館に行ったことがあるの。熱帯魚なんか、見たことがないのばっかり泳いでる。ところが彼は全部名前を言うの。水槽の横のネームプレートをこっそり見たら、合ってんのよ。

糸井　わははははは。

横尾　名前が難しい魚ばっかり並んでて、それを彼は全部言えるん

※2　一九四七年生まれの作家。博識で知られる。『帝都物語』など著書多数。

だよ。試すように「じゃ、こっちは?」と突然言っても、「ああ、それは」って涼しい顔してさ。

糸井 たぶん、荒俣さんは特別に魚はくわしいんじゃなかったかな。日魯漁業[※3]かどこか、お魚の会社にいたんですよ。

横尾 あ、そうなの? あげくに、泳いでる魚を見ながら、開きにして干すとこうなって和えて食べたらこう、みたいに、魚料理のことまで言うわけ。魚屋さんの軒先で言うんだったらわかるけど、水族館だからさぁ。魚だけじゃなくて、荒俣さんはなんにでもくわしい。いったんインプットしちゃうと忘れられないみたいよ。

糸井 それはきっとある意味で悲劇ですね。何かを発想するときには、知識が邪魔になることがあるでしょう。知識の沼を歩くより、何もない平原のような場所で考えたくなることもありますから。

※3 株式会社ニチロの旧商号。海産物の冷凍食品、缶詰の加工販売を行う。現在はマルハと経営統合しマルハニチロ株式会社に。

横尾　知ってることが邪魔になることはあるだろうね。

糸井　ぼくはどちらかといえば平原で走るほうが得意です。

横尾　でも最近は、荒俣さんのような博識な人がいなくってもね、ス※4マホでなんでもわかるんでしょ？　スマホに向かって何かしゃべると、その答えを勝手に返してくれるっていうじゃない。

糸井　まぁ、すべてではないけれども、ある程度はそうですね。

横尾　なんでもかんでも質問して答えが戻ってくれれば、人間は考えることをしなくなるね。

糸井　そこまで発達していないから大丈夫でしょう。

横尾　学校に行かなくても「これさえあれば」というところまでにならないの？　「一＋一は？」とか訊くとどう？

糸井　それは「二」と答えるでしょうけれども、学校に行かないと、「一＋一」という概念が質問する側にないでしょうね。スマートフォンやインターネットは辞書的なことを調べるのには使え

※4　このとき横尾はまだスマートフォンを所持していなかった。

ますよ。

横尾 学校で教えてくれるレベルまでスマホが行ってくれたらいいのになぁ。

糸井 横尾さんは、お子さん[※5]が小さいときにはどんなふうに教育に関わっていらっしゃったんですか？

横尾 ほとんど関わらない。でも、子どもは子どもなりに、親にどういう対応をすればいいのか、いろいろ考えるものでしょう。それはつまり、それなりに教育しているということになるんじゃないかな。ぼくが手を加えないで、向こうが「こうなんだろうな」と思うことによって。

糸井 子どもが歩み寄ることで。

横尾 そんなに歩みは寄らない。ある種の距離はお互い取っていました。

糸井 猫もそんな感じでしたか？

※5 横尾は二児の父。長男は英、長女は美美。

横尾　いまとなればもう、子どもよりも猫とのつきあいのほうが濃密だね。

糸井　横尾さんにとって、猫は生活ですか？

横尾　猫は人生です。人生必需品。子どもはひとりの人間だから、分身という感じはしない。けれども猫は、自分の分身という感じがします。子どもを産んだのはうちのかみさんだから、かみさんはきっと子どもを分身だと思ってるでしょうけども。

糸井　だけど横尾さんは猫を産んだわけじゃないですよ（笑）。

横尾　まぁ、そうだけどさ。もう自分自身ですね。ぼくは、死んだ猫の肖像画[※6]を何枚も描いてるけど、あれは作品にしようと思って描いてるわけじゃないんだよ。

糸井　遺影ということですか？

横尾　自画像というか自分に対する、まぁ、レクイエムですね。

糸井　しかしみんなはあの絵を横尾さんの作品として見ています。

※6　愛猫タマの肖像画。

横尾 作品として見るほどの絵じゃないね。誰でも描ける写実的な絵でしょう？

糸井 横尾さんは、ほかにそんな絵を描かないですもんね。

横尾 うん。あの絵は様式も写実で工夫もない。おもしろくもおかしくもない。

糸井 だけど横尾さんはいま、猫を描きたいんですよね。

横尾 そうね。十和田市現代美術館[※7]で開催した展覧会で、猫の絵ばかり四十点ほど、ひとつの部屋に並べたんですよね。あの展覧会には、ほかにもたくさん絵が飾ってあったのに、その部屋がいちばん人気があったって言うんだよ。

糸井 誤算ですね。

横尾 しかし猫の絵はアートではない。絵画としての主張は何もない。現代美術の学芸員なんかが見ると、あの猫の絵はあまりにも「芸術をやってない」ということになるんだよ。でも、

※7
青森県十和田市にある美術館。恒久設置作品の常設展のほか、さまざまな企画展を開催し、地域の文化芸術活動を促進。

芸術をやってないことに妙な芸術性を感じる、ということがあるらしいの。

糸井　それはありえますね。

横尾　世の中全部が「芸術芸術」したものばかりだから。そこにまったく芸術していないものを、芸術の殿堂みたいな美術館に並べたら、意味が出てくるのかもわかんない。オノ・ヨーコ[※8]さんがアトリエに来たときに「横尾さん、この猫の絵、どうするの?」って訊くから「これは猫のレクイエムのつもりで描いているだけで、作品のつもりではない」って答えた。そしたらあの人、まじめだからこう言うの。「何言ってるんですか。これこそ立派な作品じゃないですか」

糸井　おおお。

横尾　オノ・ヨーコさんに言わせたら「芸術とは愛」ですから、「これこそ芸術です」ということになるんです。なんていったっ

※8　一九三三年生まれの現代芸術家。現在の活動の拠点はニューヨーク。夫は音楽家のジョン・レノン。

糸井　て「ラブ&ピース」[※9]の人だからね。

横尾　はい、もう、説得力があります。

糸井　ぼくが「これは芸術じゃない」と言えば言うほど、ヨーコさんはますます真剣になるんだよ。

横尾　つまりその絵は、率直に出る言葉と同じですものね。

糸井　芸術と言ってしまえば芸術です。

横尾　「アイラブユー」ですよ。

糸井　そうなんだよ。だからね、誰がそういうふうに、猫の絵は芸術ではないと言いだしたんだか、ちょっとわかんないけども。

横尾　ご自分ですよ。

糸井　ん?

横尾　横尾さんですよ、「芸術じゃない」って言ってるのは(笑)。

糸井　だけど、一般の人も、関係者も、猫は誰が描いても芸術だと思って見てないよ。新しい様式でもないし、主題ったって猫だしさ。

※9 ジョン・レノンとオノ・ヨーコが行った平和活動。

糸井　でも、あの猫の絵を見て泣く人がいるらしいんですよ。わかる。その猫の部屋がいちばん人気なのもぼくはよくわかります。

21:00
消灯となります。

Photo Photo Everyday
横尾忠則
東方出版
TOHO SHUPPAN
日本の作家222
JAPANESE WRITERS 222
横尾忠則
TADANORI YOKOO
文学全集から飛び出し
乱反射する文士の風貌
HIGHLIGHTS
Tadanori Yokoo 1957-2012
横尾忠則
全装幀集
Complete Book Designs

PIE

四五歳で出会った本の世界

糸井　横尾さんは新聞に書評[※1]を連載なさっていますが、奥さまが「あれだけ本を読まなかった人が読むなんて」とおっしゃってましたよ。

横尾　それなんだよ。月に一、二冊、書評用の本を読むだけでアップアップなのに、年末になるとさらに「今年読んだ本でよかったやつを三冊挙げてくれ」なんて言ってくる。だから過去に書評した本をもう一度ひっぱり出すことになってたいへんなんだよ。

糸井　横尾さん、ものすごくまじめに読んでますよね。

※1　横尾は二〇〇九年より朝日新聞の書評委員をつとめる。

横尾　まじめに一回、まず読むでしょ？　ところが、読み終わったというのに、内容をほとんど覚えてないわけ。だからもう一度読みます。二回目には線を入れていったり。

糸井　ああ、それはたいへんだ。

横尾　書くよりも読むほうにエネルギーを取られちゃう。だけど、書評家の人ってみなそれをやっているわけでしょう？　新聞の書評を引き受けて、一か月に四回掲載されるとして、一年に五十回。二年単位で引き受けるから百回だよ。

糸井　でも、みなさんあまり全部は読んでないかもしれませんよ。少なくとも横尾さんみたいに、そんなにまじめに何度も読まないと思います。書評を見ていると、ときどき「ここ読んでないな」なんてわかるときもありますよ。

横尾　そうだよね。ある批評家に「読むのがたいへんだ」とこぼしたことがあるの。そしたら彼はやっぱり「そんなまじめに読

糸井　む必要ないですよ」と言ってた。「あなた読まないの？」「読まない、読まない」

横尾　アドバイスとしてはそう言いますよ。一冊につき二回も読んでたら無理です。

糸井　本を読み慣れている人は、めくっただけでパッパッパッとわかるんだろうね。

横尾　あの仕事を、本業がありながらよくやりますね。

糸井　連載をやめさせてくれないんだよ。約束の二年が終わるたびに、何回も喧嘩状態です。

横尾　わははははは。

糸井　だけど八年間続いてるの。もうここまでくるとクセとしかいいようがない。

書評をそんなにまじめにやるのは本当にたいへんだから、やめてもいいとぼくは思います。

横尾　まじめだけれども、結局は自分の話にしちゃうから、エッセイみたいなつもりで書いてればいいわけ。ぼくの書評は本には密着してないんですよ。本からくみあげた、違うことを書いています。

糸井　だからこそ横尾さんの書評はおもしろいし、続けられるのかもしれませんね。しかもご自分の興味ある本しか選んでない。それがとてもいいと思います。

横尾　ぼくの書評をまとめた本[※2]が出たんだけど、それを自分で読んでみたわけよ。それがまた、おもしろくっておもしろくって。なんでおもしろいかというと「次の行は何を言うんだろう?」と、自分でわからないからです。

糸井　ああ、横尾さんはいつもそうですね。次に何を言いだすのかわからない。

横尾　「次どう言うんだろう?」「変なこと言ったら怖いな」という

※2　『本を読むのが苦手な僕はこんなふうに本を読んできた』(光文社新書)二〇一七年刊。

感じで、自分で読んでいっちゃうわけ。

糸井　それは全体的に、横尾さんの特徴です。絵だってそうじゃないですか。「次どこ行くんだろう？」ぜんぜんわからない。

横尾　絵はもっとわかんないよ、迷ったまま出ていくからさ。誰がどう見るかという客観性もない。文章は編集者もいるし、チェックする人がいる。そこを通り抜けなきゃいけないからまだいいよ。絵の場合は、学芸員も文句言わない。

糸井　たしかに。でも、ふだんおっしゃっていることも、ツイッターやホームページなどで書いておられる文章も、横尾さんの「次」はいつもわからないですよ。

横尾　だから、自分で書いた書評が自分で読んでいるのにおもしろくって、夜の二時か三時までかかって読んだ。これまで書評用に読んだ本は何冊なのか、数は忘れたけれども、もしぼくが書評をやってなかったら、あれらの本をもし本屋さんで見つけても、ぼくは絶対に読んでないですよ。

糸井　それはとてもよかったですね。そもそも本を読まない人だったんだから。

横尾　引き受けるときは、喧嘩でしたよ。

糸井　最初も喧嘩ですか。

横尾　ホントの喧嘩です。あれは電話だった。「ぼくは書評をやったことないから、できません」「そんなことないです、できます」向こうはぼくに自信をつけるようなことばっかり言うわけです。話しているとだんだん腹たってくるわけ。「そんなこと言ったって、あなた、ぼくの書いたエッセイを全部読んでるわけじゃないでしょう」「いや、読みました」延々続いて、もうぼくは、途中で電話を切りたいわけよ。けれども、切ると失礼にあたるからさ。

糸井　失礼とかいうことは考えるんですね。

横尾　そのまま「うるさい！」って、ガチャンと切ってもいいんだけど、それは失礼でしょう。

糸井　まぁ、そうですね。

横尾　「どうしたらいいかなぁ」と思ってたら、パッと、「この電話は切れない。引き受けるときにしか」と思ったんです。

糸井　思うつぼですね。

横尾　引き受けないかぎりは、彼と延々喧嘩しなきゃいけないし、向こうもしんどい。「引き受けて、二、三回書いて、やめればいいんだ」と思いつきました。そしたら、最初に書評を書いたミステリーかなんかが、けっこうおもしろかったの。

糸井　やってみたらおもしろい、と。

横尾　ミステリーなんて読んだことないからさ。二回目も小説で、おもしろかった。そこからはじまっちゃった。

糸井　そもそも本当に本を読んでなかったんですか？

横尾　日本デザインセンター[※3]にいた頃、お昼になると永井一正[※4]さんが「横尾さん、食事にいこう」と誘ってくれて、帰りに必ず本屋さんに寄りました。ぼくにとって彼は上司だから、本屋さんから彼が出てくるまでじーっとしてなきゃいけないの。彼はなんか探して買って帰るから、ぼくも買わなきゃいかんかなぁということで、買ってはいたんだけど、本を真剣に読みはじめたのは四五歳くらいからです。

糸井　絵描きさんになってからですね。

横尾　そう、画家宣言のあとです。しかしぼくよりもっとさらに上がいたわけ。五〇歳になってはじめて本を読みだした人がいるんだよ。

糸井　誰でしょうか？

横尾　その人がなぜ本を読みだしたかというと、不眠症だったから。友達から「本を読んだら眠れるよ」と言われて読みだした。フェ[※5]

※3　一九五九年に銀座で創業した広告デザイン制作会社。

※4　一九二九年生まれ。グラフィックデザイナー。

※5　一九二〇 - 九三年。イタリア出身の映画監督。

糸井 デリコ・フェリーニだよ。

横尾 えっ。じゃあフェリーニは、映画を作ってたときに本は読んでなかったんですか。

糸井 五〇までは読んでない。フェリーニはなんの趣味もない人なの。旅行も嫌い、いつも同じ映画の関係者にしか会わない。

横尾 映画しかやってなかったんですね。

糸井 そう。毎日、家から出て近所でタクシーの運転手さん相手にお茶飲んで、そのタクシーの運転手さんの車でチネチッタまで行く。チネチッタは撮影所ね。そこでスケッチブックに漫画みたいな絵コンテを描いて。

横尾 ああ、フェリーニの絵コンテ。すごくうまいですよね。

糸井 うまいよ。それで帰ってくる。明けても暮れてもそればっかり。パートナーだったジュリエッタ・マシーナ[※6]は、よう勉強する人。いろんなことを知ってる。フェリーニは、ジュリエッタ・マシー

※6 一九二一 - 九四年。イタリア出身の俳優。

ナには興味あるけども、本読んだり勉強したりするマシーナにはあんまり興味がない。すぐ家を出て、タクシーの運転手さんと下世話な話ばっかりしてさ。彼は、見たり聞いたり会った人たちを、ほとんど全部映画の中に登場させた。そういう人もいるから、上には上があるんだなと思ったよ。

模写から出発した美術家

糸井　本は読まなかったかもしれないけど、横尾さんは、美術史にものすごくくわしいですよね。

横尾　美術史については、東野芳明[※1]さんに言われたことがちょっとあってさ。ぼくが画家に転向したとき、メシ食いながら東野さんが「横尾ちゃん、おまえは画家に転向したけど、画家としては成功しない」と、いきなり言うわけよ。「君は、いま世の中で起こってることにしか興味を持っていない。いま世の中で起こってることは、それ以前の過去に、根拠が全部あるんだよ」と言うわけ。会うたびに何度も言うんだよ。「ずらーっ

※1　一九三〇-二〇〇五年。美術評論家。欧米の現代芸術を中心に評論を展開。

と順番に美術の歴史があって、そのうえでいま現在のニュー[※2]ペインティングがあるんだよ。君はニューペインティングにしか興味を持たないかもしれないけれども、それだとそこだけデジタルに切り取ることになる。これは画家として成功しない」

糸井　ほほぅ。

横尾　ぼくは、それは本当だなと思ったわけ。それから美術の歴史に興味を持ちだした。

糸井　本で勉強したんですか？

横尾　本というより画集です。

糸井　画集をよぉーく見るんですか？

横尾　画集は見る。美術論は興味ない。

糸井　横尾さんの絵の解説はものすごくおもしろいですが、あれは美術論ではないんですね。

※2　一九七〇年あたりから八〇年代半ばの現代美術の様式。新表現主義。

横尾 美術論は自分で考えればいい。東野さんの話には続きがあってさ、ある日、東野さんが「横尾ちゃん、それは画家の名前？」なんて言ってきたわけ。「ティツィアーノ[※3]って」「ティツィアーノのことですか？」「なんだ、そのティツィアーノって、ルネッサンスの絵描きさんじゃないですか」「知らんよ」

糸井 東野さんが。

横尾 また別の日に、「川端龍子[※4]って、あれは男だって知ってた？」川端タツコだと思ってたんだって。東野さんはその時点で美術評論家連盟[※5]の会長だったんだよ。

糸井 へぇえ。

横尾 「会長が何を言ってるんですか」てなもんだけれども、東野さんは専門が現代美術のデュシャン[※6]とジャスパー・ジョーンズ[※7]だったでしょう？　だからいつも「自分は勉強しないといかんな」と思ってて、それをぼくにもやらせようとして言って

※3
ティツィアーノ・ヴェチェッリオ。一四九〇年頃‐一五七六年。ルネッサンス期のイタリアの画家。

※4
一八八五‐一九六六年。日本画家。名は「りゅうし」と読む。

※5
AICA JAPAN。芸術表現、批評活動の自律的営為を尊ぶ。東野芳明は一九八三年から八六年まで会長をつとめた。

※6
マルセル・デュシャン。一八八七‐一九六八年。フランス生まれの芸術家。二〇世紀の美術に

くれたんじゃないかと思うんです。

糸井 そして、横尾さんはまじめだから、東野さんの言うとおりきちんとやったわけですね。

横尾 うん。それ、やらないとダメだったよ。ホントにダメだった。東野さん、うまいこと説得してくれた。

糸井 よかったですね。

横尾 東野さんのおかげだね。

糸井 だけど、勉強のしかたが画集だというのがおもしろいです。絵を見て自分で画家の考えを組み立てていくのは、本当に「たどる」ということですもんね。

横尾 そうね。たとえば誰か評論家が、ゴッホ[※8]について書いたとする。その人はゴッホの周辺に起こったいろんなことを研究して書いてるのかもわからないけれども、そんなこと、知っても知らなくてもいいわけですよ。むしろぼくは、ゴッホの生き方

決定的な影響を残したひとり。

※7 一九三〇年生まれ。アメリカ出身の芸術家。ポップアートの先駆者といわれる。

※8 フィンセント・ファン・ゴッホ。一八五三-九〇年。オランダ出身の画家。

に興味がある。ゴーギャン[※9]がどう生きたかに興味がある。それは、その人の絵をじーっと見てればわかります。いろんなことが絵からわかるじゃないですか。

糸井　描く者同士だということが、すごく大きいですね。

横尾　美術館へ絵を見にいってもそうで、何が描いてあるかなんて興味ない。ぼくが見てるのはいつも絵の具の表面です。表面だけを見ています。

糸井　それは、書の先生が、昔の人の書を見るときに、頭のなかで筆を追っかけて書くのと似ていますね。

横尾　あ、それに近い。ぼくも絵を、頭のなかで描きますよ。だから絵を見るとすごく疲れる。疲れるけどもね、「ここにキュウリか何か描きゃもっとおもしろいのに」なんてことをピカソ[※10]の絵を見て思ったりもするわけよ。

糸井　絵を見てどこで悩んじゃったのかも、表面を見ればわかっちゃ

※9　ポール・ゴーギャン。一八四八－一九〇三年。フランス出身の画家。ゴッホとは九週間の共同生活を送った。

※10　パブロ・ピカソ。一八八一－一九七三年。スペイン出身。キュビズムの画家。二〇世紀最大の芸術家といわれる。

横尾　うんですね。

糸井　わかる。それでいいんじゃないかと思う。人生の背景、何年に生まれて、親父さんの職業がなんだとか、そこから解き明かさなくてもいい。そんなもんどうでもいいわけ。

横尾　横尾さんが、現代の作家について「ピカソって」と、友達のように論ずることがありますよね。まるでピカソを、隣にいる人のように言う。

糸井　そうかなぁ。ピカソはそら偉大な人で、尊敬してますよ。

横尾　それはそうだけど、同じ人間として「ここで苦しんだんだろうな」と、横尾さんはわかっています。そこがものすごくおもしろいんですよ。

糸井　美術の物知り博士になるんだったら、学芸員になればいいわけよ。

横尾　そうですよね。横尾さんが、小さいときから「模写[※11]をやって

※11　他者の作品を忠実に写しとろうとすること。横尾の模写は、絵本『宮本武蔵』の巌流島の決闘場面の、五歳時のみごとな作品が残っている。

きた」ということが強く関係している気がします。模写って、見ることでしょう？

横尾 そうね。模写はつまり、観察力だからね。いまでもそうだけど、誰かがぼくに対して話をするときには「うん、うん」と聞きながら、ときには「話がおもしろくないな」なんて思いながら、頭のなかでぼくはその人の顔を描いてるの。

糸井 そうなんだ（笑）！

横尾 これはもう、習性みたいになっちゃってる。

糸井 それは、現実を模写するような感覚ですか？

横尾 そうだね、現実を模写してるわけだね。風景画を描くときも何かを写生するときも、平面か三次元か立体かの違いで、結局は模写と考えればいいわけ。ぼくはデッサン[※12]をいっさい勉強していないけれども、形はきちっと取れる。それは、模写の論理で描いてるからだと思う。

※12 立体的なものの形や陰影を読み取り、平面の紙に素描する技術。

糸井　画家宣言[13]をされたのが四五歳あたりで、いまの年齢になっても同じ感覚ですか？

横尾　ずっとそうだよ。

糸井　横尾さんは、絵を公開で描くことがありますよね。

横尾　公開制作[14]ね。

糸井　ぼくは数年前に横尾さんの公開制作[15]にお邪魔しましたが、まるで遊んで描いてるように見えました。

横尾　あの「遊んでるような状態」にもっていくまでに時間がかかるんだよ。

糸井　そうなんですか。

横尾　そこを超えてしまうと、遊びができます。公開制作はある種の緊張もあって、遊ぶ気持ちになりかけたところで終わってしまったりするわけ。だから、糸井さんが来てくれて、ワーワーやってると遊びになりやすいし気が散るの。ぼくにとっては

※13　一九八〇年。グラフィックデザイナーから画家へ転身することを宣言する。

※14　観客の前で作品を制作すること。

※15　二〇〇九年、世田谷美術館で行われた公開制作を訪問した。

気が散ったほうがいい。

横尾 ぼくは邪魔してるという意識もなく、邪魔してました。横尾さんは邪魔されても平気なんですね。

糸井 平気というより邪魔してもらいたいの。絵に集中してしまうとダメ。ぼくは絵から離れたいんです。絵から離れれば、身体的に、絵だけで絵が描ける。それがいちばんいい状態です。

横尾 絵から離れるというのは、どういう状態ですか?

糸井 ワニでも馬でも、人によっては見なくても描けちゃうでしょ?

横尾 そうか……横尾さんは見てますね。

糸井 見ないと描けない。

横尾 いつも写真があったりしますね。

糸井 写真でもいいし、実物でも人の描いた絵でもいい。何か見ないと描けない。

横尾 たしかにY字路[※16]も、いつも三叉路の写真を見て描いてらっしゃ

※16 二〇〇〇年から制作がはじまった、横尾の代表的連作。三叉路の絵。国際的にも評価が高い。

います。

横尾 模写から出発してるから、何もないと描けないんです。「ここは、こうしたほうがもっといいな」というのは、どの絵を見ても、写真を見ても、感じるわけ。

糸井 全部に感じるんですか。

横尾 うん。それを絵にしていくんだけれども、現代美術家のなかでも何かを見ないと描けない人はいっぱいいます。アンディ・ウォーホルだって、何かサンプルを見ないと描けない人です。ところが宇野亞喜良さんは、普通じゃありえない角度の絵だって、見なくても描けるわけよ。

糸井 描けちゃうんだ。

横尾 描けない不幸もあるけど、描ける不幸もある。アンリ・ルソー[※17]はたぶん、猿にしてもワニにしても、想像では描けない人です。

糸井 それは言葉の分野でもありますよ。書ける能力のある人が頭

※17 一八四四 - 一九一〇年。フランス出身の画家。ルソーの絵をモチーフにした横尾のシリーズ作品がある。

からひねり出した言葉でうまいこと表現することがある。しかしそれはじつはつまらない、ということだっておおいにありえます。うまく言えてなかったとしても、事実をもとに「言いたいことがこれだ」と思えれば、圧倒的に感動します。それは両方の魅力があります。

横尾 そうだよね。ピカソとマティス[※18]でもぜんぜん違うんだよ。マティスは、女性描くのにモデルを置かないと描けないわけ。

糸井 ああいう絵なのに。

横尾 そう。リアルに描いて、それをどんどんどんどん削りながらデフォルメしていく手法です。ピカソはそんなの関係ない、いきなり描けちゃう。ピカソは見ても見なくても同じで、見たって変なすごいもん描いちゃうんだからさ。

糸井 マティスは見る、ピカソは見なくても描ける。そう思うとまた、おもしろいなぁ。

※18 アンリ・マティス。一八六九-一九五四年。フランス出身の芸術家。

横尾　マティスは晩年で切り絵になりますが、あのあたりは見てないと思いますよ。けれどもそれより前のマティスは、ひとつのフォルムを作るまでに、デッサンをいっぱいしてやっと油絵の形を作った。ピカソはいくらでも大量生産できたけど、マティスはひとつ描くたびにモデルを連れてこなきゃいけなかった。版画もフォルムを作っていくまでたいへんだよ、彫刻作ってるのと同じだからさ。だけど、ピカソもマティスも同時代の巨匠で、仲もよかったんだよ。

糸井　ピカソはきっと、体内にビジョンがあるんですよね。

横尾　そう、体内にある。ぼくの場合は、体内ではなく、自分からも絵からも離れたほうがいい絵になるんですよ。

糸井　なんだか、横尾さんの絵がちょっと見えてきた気がしました。また公開制作にも行きたいなぁ。

週刊誌は仏教書

糸井　ぼくね、じつはいまゆでたまご[※1]を持ってるんです。横尾さんもおひとついかがですか。面倒だから殻むきはぼくがやりましょうか？

横尾　あ、これはパッとむけないやつか。でも、こういうことはちゃんと自分でやらないといけないんだよ。

糸井　そうなんですか。

横尾　こういう小さなことから、生活感がなくなっていくらしいよ。

糸井　ぼくは昔、横尾さんから「生活をちゃんと大事にしてていいね」と言われました。

※1　このページの対話は二〇一七年に行われた。場所は河口湖畔の宿。夕食時なのでゆでたまごを持っている。

横尾　誰から？

糸井　横尾さんから。

横尾　そんな失礼なこと言わないよ。

糸井　おっしゃいましたよ。でも、本当にそのとおりだと思います。ぼくも生活を意識していますし、横尾さんもそうだから、いつもいいなと思っています。

横尾　糸井さんはいくつになったの？

糸井　六九[※2]です。

横尾　年ってさ、追い越されることがあるとおもしろいよね。

糸井　それは意外とないですね（笑）。

横尾　肉体年齢と精神年齢は乖離しているから、みんな自分で精神年齢を登録したらいいんじゃないの？　背番号みたいにTシャツに入れておくの。

糸井　横尾さんはぼくの十二[※3]歳上ですが、そうとう若く見えますか

※2　この対話が行われた二〇一七年時点。

※3　両者同じ「子（ねずみ）年」。

らね。髪は染めてますか？

横尾　染めてない。このへんには白い髪があるでしょ？

糸井　ああ、少しだけありますね。

横尾　誰かがカツラでしょうといって、一所懸命はがそうとしたこともあるよ。

糸井　なぜもっと白髪にならないんだろう？

横尾　ある年齢に達している場合、多少でも白くなっていかないと、中途半端な気がするね。

糸井　そんなことはないですよ。

横尾　テレビに出てる演歌の歌手でなんとかいう人、あの人は頭が黒いけれども、染めてるのかな。

糸井　テレビに出ている人はだいたいが染めてるんじゃないでしょうか。横尾さんはパーマですか？

横尾　年に一回か二回、パーマあててます。髪は毎日洗ったりしないよ。歯も朝一回磨くだけだし。

糸井 そこも猫派なんですね。

横尾 それなのに歯は丈夫。

糸井 わけがわかんない。

横尾 要は考え方です。

糸井 ……そうかもしれないって、ちょっと思います。

横尾 考え方で黒くも白くもなる。一夜のうちに白髪になるっていうでしょう。

糸井 考え方しだいで、歯も丈夫になるんですか?

横尾 そう思う。歯医者にはあまり行ったことがない。親知らずが一本あって、梅干し食べてて取れちゃった。それで歯医者に行っただけ。

糸井 すごいな。

横尾 子どもの頃から、ダシジャコやら小魚を食べるのが大好きだっ

糸井　たの。それと昆布。

横尾　昆布とダシジャコ、髪の毛と歯はそれだ。もう少し早く聞いときゃよかった（笑）。

糸井　話がぜんぜん変わるけれどもね、キムジョンウン[※4]のお兄さんがマレーシアで殺されたでしょ。トランプ[※5]があのお兄さんの息子をアメリカに亡命させようとしていたらしいね。

横尾　その話はどこから横尾さんのところに来るんですか？

糸井　「週刊現代」。

横尾　週刊誌ですか。

糸井　「週刊現代」を読んだだけです。もうちょっとくわしいことが知りたければ、みなさんも読んでください。

横尾　（笑）

糸井　アメリカにもどの国にも、ぼくらが知らない裏の政府があるんだね。国同士が裏で取引きをしてるんですよ、それは我々

※4　金正男（キムジョンナム）。朝鮮民主主義人民共和国の第二代最高指導者であった金正日の長男。二〇一七年にクアラルンプール国際空港で襲われ死亡。

※5　ドナルド・ジョン・トランプ。対談時のアメリカ合衆国大統領。

にはわからないもんね。大統領も知らないディープステイトって暗闇のアメリカがあって、世界を支配する。世界の人口を減らす計画がある。コロナもそうかもしれませんよ。[※6]

糸井 でも横尾さんはそれを知っている、なぜなら「現代」を読んでるから。成城で猫の絵を描きながら。

横尾 週刊誌は、女性誌も含めてほとんど読んでるよ。でも世界を支配しようという組織の存在なんて本当は週刊誌ではわからない。

糸井 自分で買いに行くんですか？

横尾 自分で買うという肉体行為がないと身につかないですよ。一昨年、骨折して入院したでしょ。そのとき、テレビを見ようにも耳が聞こえないから、[※7]字幕の入る番組以外は見られなかったんです。しかたなしに病院のコンビニで週刊誌を買ってきた。その頃はスキャンダルばっかりでしたよ、アイドルのス

※6 二〇二〇年に世界的流行になったコロナウイルス感染症のこと。この部分は『YOKOO LIFE』書籍化にあたり横尾の手で加筆された。

※7 横尾は二〇一五年に突発性難聴を発症。

キャンダルとか、覚醒剤の問題とか、毎週いろんなネタが集中してたわけ。それがおもしろくなって、週刊誌を買い続けて。

糸井 それまでは読んでなかったんですか?

横尾 週刊誌はあんまり読まなかった。病院にいると退屈でしょうがないわけよ。だから週刊誌しかない。あれがいちばんいい治療になります。あそこには仏教の世界がある。

糸井 仏教? 因果応報[※8]ですか?

横尾 すなわち自業自得。こんな簡単な法則がどうしてわからないのか。この法則さえわかっていたら、あんなスキャンダルは起こさないですよ。スキャンダルを起こす人は、「因果応報自業自得」に関心がないんだよ。

糸井 きっと「俺だけは大丈夫」と思ってるんでしょうね。

横尾 そうでしょうね。神はお見通しなんですよ。我々はなんとなく体の中に「因果応報自業自得」の感覚を持っているもので

※8 いんがおうほう。過去に行った自分の行動に対応して現在や未来の報いがある。よいことをすればよい報いがあり、悪いことをすれば悪い報いがある。

しょう？　だからこそできることとできないことを自分で区別できるんです。けれども週刊誌に載る人たちはできてないわけ。週刊誌は仏教書です。

糸井　いま、だいぶ説得されました。

横尾　週刊誌を読んでみたくなったでしょう。

糸井　「食べれば太るよ」「だませばつかまるよ」ああ、なるほどなぁ。

横尾　カルマ[※9]ですよ、カルマ。

糸井　因果応報の法則があるにもかかわらず「自分だけは逃げられる」と思うのはなぜでしょうか。宝くじを買うときに「当たるような気がする」というのと同じですね。

横尾　要するに、もうひとつ、上から見る視点がないのよね。

糸井　横尾さんはそういう視点をいつから意識しはじめましたか？

横尾　どうかねぇ。うちの両親は、すごく熱心な神道の信者だったわけ。

※9　仏教で用いられる概念。業（ごう）。自分の行いにより果報が生じる。

糸井　神道だったんですか。

横尾　黒住教[10]です。朝起きて、太陽があがるでしょ。パンパンと手を叩いて日拝する。それだけです。あとは「清潔にすることが心を浄化する」といって、朝から晩まで家の掃除ばっかりしてるわけ。畳に何かこまかいものが落っこってると拾って捨ててるし、新聞紙も足で踏んだりしない。つまりアニミズム[11]なんです。ものに精霊が宿ってるという考え方が生活の中に溶け込んでるわけ。子どもの頃、外で立ち小便したときなんかは、おしっこがいろんな虫や草にかかったりするから、「何もかもごめんやす」と言ってしなさいと両親は言ってた。そういう影響を多少は受けてるかもわかんない。因果応報は仏教だから、そういう思想はなくても、なんとなく「ごめんやす」はあったかなぁ。

糸井　ああ、そうなんですねぇ。それと髪が黒いこととは関係ない

※10 神道黒住派。日拝を重んじ、感謝をもって日々を送ることが教えの中心。幕末三大新宗教のひとつ。

※11 この世のすべてのもの、ひとつひとつに霊が宿っているという教え。精霊信仰。

んでしょうけど。

横尾　うん。髪が黒いのはね、これ、黒住教だから（笑）。

あなたに勇気はありますか

糸井　横尾さんは宿のロビーでみなさんが卓球[※1]をしているそばで絵を描いたりなさいますが。

横尾　うん。ぼくにとっては、これがいいわけ。絵に集中すると、どうしても絵のことを考えてしまうでしょう。できるだけていねいに描こうとか、そういうことも思ってしまう。すると、描いてる絵がつまらなくなっちゃうんです。それよりも、なるべく絵から気を散らして、違うことを考えたほうがいい。そうすると手も自由に動く気がするの。

糸井　昔からそうですか？

※1 河口湖畔の宿で毎年行われる「横尾合宿」では、一行がかわるがわるロビーで卓球に興じるのが常であった。

横尾 いや、昔はこんなんじゃなかった。年齢と関係があるのかもわからないね。八〇にもなると「どうでもいい」みたいな感じになって、いい絵を描かなきゃいけないという気持ちがなくなります。「いい絵を描かなきゃいけない」って、やかましく言う人がいるけども、芸術至上主義になっちゃうとつまんないよ。

糸井 いい絵を描こうとすると、いい絵を描くという「欲」になっていきますよね。洞窟の絵画――たとえばラスコー洞窟[※2]の壁画を見ると、あれは芸術や欲というより、祈りのようなものが人を動かしてるように思います。

横尾 あれはひじょうに呪術的な儀式だったでしょうね。もしかしたらあの壁画を描いた人は、自分の生命のことを考えたりしてたかもわからないよ。「無事に帰れますように」みたいな気持ちだってあったかもしれない。

※2 フランスの西南部モンティニャックにある洞窟の壁画。後期旧石器時代、人類最古級の絵画のひとつ。現在洞窟は立入禁止だが複製が見られる。

糸井　でも「いい絵を描こう」という概念はないでしょうね。

横尾　ぜんぜんないでしょう。ないからいいわけです。

糸井　横尾さんが猫を描くのも、それに近いのでしょうか。

横尾　そうね。猫の絵に、芸術としてのテーマはないわけよ。絵から離れることが、絵のためにいいんじゃないかな。画家であろうとする前に私人であるべきですね。

糸井　しかし「横尾さんが画家の目で猫をよく見ていた」ということは言えるのではないでしょうか。

横尾　いや、見たかどうかでいったら、そんなに見てなかったかもわかんないね。「そこにいる」とは感じてたけど、見ていない。描写するように見てたかというと、そうじゃなかったような気ぃするね。「こんなところにこんな模様がある」とか、「毛がこう回ってるんだ」とか、それは描きはじめてからわかるわけ。

糸井　でも、普通の人が猫を見るのと画家が見るのとでは違う気がするんですが。

横尾　違うと思うけど、いわゆる「見え方が違う」というわけではないんですよ。美術評論家的な人がゴッホの絵について「ゴッホはこういうふうに見てたんですね」なんて言うけどもね、そんなはずはないよ、あんなふうに見てたら危なくて道を歩けないよ。絵の具があんなにゾロゾロしてるような道なわけないじゃない。ゴッホがそういうふうに「描きたかった」だけの話で、そういうふうに「見えていた」わけじゃないんですよ。

糸井　なるほど。描くときの問題なんですね。

横尾　そうなの。画家というのは神秘的で特殊なフィルターでものを見て四次元的な感覚を持ってると思いたいのかもしれないけど、そんなことはないよ。だって、ピカソがあんなふうに

糸井　見てるはずないでしょう。見方はほかの人とおんなじだと思う。歌を上手にうたうのも絵を描くのも、神秘じゃないんですね。

横尾　神秘じゃない。

糸井　しかし、画家が絵を描くというのは、つまりは得意なことだから、得意なことをしているよろこびのようなものを感じます。

横尾　よろこびと同時に、うまくいかないという思いもありますよ。常にうまくいかないんです。うまくいくことがあっても、それはほんの瞬間だけでね。その感覚はおそらく絵だけではなく、どんな人も同じだと思う。問題の大小もあるし種類もさまざまだろうけど、うまくいかないなぁという感じはみんなが持ってるんじゃないかな。

糸井　そうか、たとえばスポーツでも同じですね。テレビで体操を見ていても、得意だから「うまくいったぞ、どうだ」というところもあるし、得意だからこそ「うまくいかない」もある、ということがわかります。

横尾　ホントにそうね。体操なんか見ていると、つまりあれは、勇気だね。

糸井　勇気ですか。

横尾　うん。ぼくは子どもの頃、鉄棒で逆上がりができなかったんだよ。クラスでできないのはぼくだけだった。でもあれも、勇気なんだよね。ひっくり返る勇気がないからできないわけでさ。絵も同じ。問題は全部、勇気に関わることだと思う。

糸井　つまり、描けたことのある人は描けるんですね。

横尾　そう。一回描いてしまえば描けるんです。自転車に一回乗れたら乗れる。それと同じよね。そうするとやね、つまりすべては「考え方」ってことになるんですよ。

糸井　そうか……。

横尾　絵を描くときに四角にするか丸にするか三角にするか、ピカソでもゴッホでも考えるでしょ。それは「自分は丸が得意」とか、そんなことには関係がないんです。

糸井 そうじゃなくて「丸にしたくなっちゃう」んですね。

横尾 そう。したくなっちゃう。リアルな絵で、髪の毛一本一本描く人がいるでしょ? あれは、そういうふうにやりたくて、その人の考えで描いてるんですよ。すると、そういう技術がついていくんです。あのこまかい髪の毛一本一本、したくなければ描けないよ。

糸井 ははぁ……。

横尾 だからね、全部が「考え」だと思う。

糸井 たとえば美大で「コップに入った水」を描いたりする練習も、あれは「どうしたいか」という考えを学んでるんですね。

横尾 うん。そうでないと描けないもん。

糸井 そうか。ああ、そうか！

横尾　そう考えていくと「才能っていったいなんだ」ということになるよね。

糸井　下手なままの人もいるし、どんどんうまくなってく人もいます。

横尾　それを左右するのも、自分の考えたことを自分で実現するかどうかの勇気の問題なんじゃないかな。勇気があればどんどんいけちゃう。

糸井　これ……聞いたら泣いちゃう人がいますよ。

横尾　そうかね。

糸井　本当にその違いだけなんだなぁ。

横尾　勇気というのは、単にうまくなるだけのことじゃないんだよ。
いまこの絵の猫の後ろにぼくがいるんです。

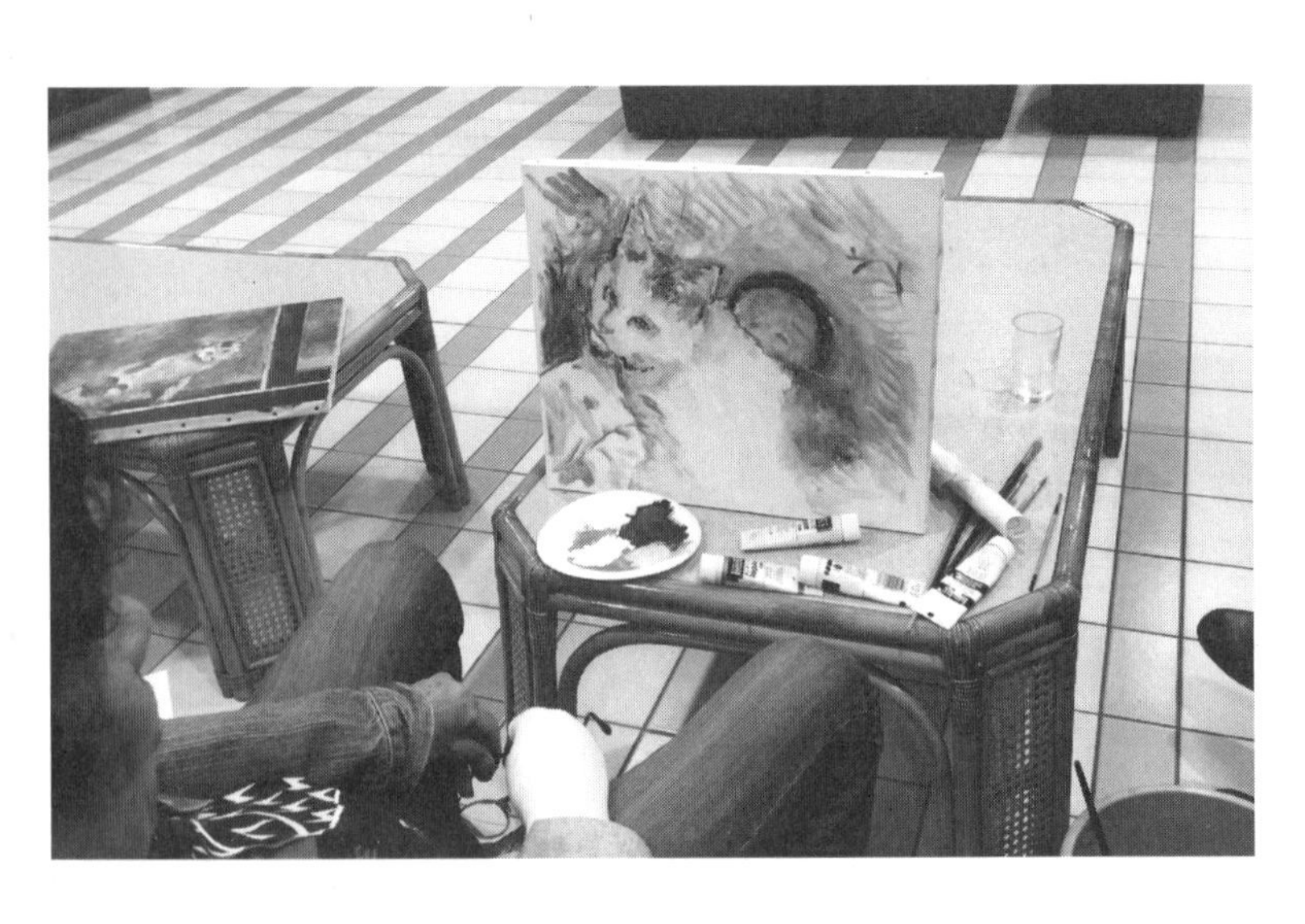

糸井　いまは顔のない「ぼく」ですね。

横尾　この絵はここまで描けてるわけ。これからだんだんしあがっていって、もしかしたらこれは「目鼻はチョンチョンと点をつける程度でいいじゃないか」という勇気が出てくるとする。その勇気があれば、この顔は点だけでできるわけです。その勇気がなければ、もしかしたら写真とそっくりに描いてしまうのかもしれない。

糸井　そうですね、写実[※3]に逃げるという方法だってありますよね。

横尾　ああ、それが問題なんだ。「写実」みたいなものがなければいいんだけど、それがあるから、絵を描く人はそこから自由になれない。

糸井　写実がますますスーパーリアリズム[※4]になって、いまはそっちの居心地がよくなってますね。

横尾　日本全体にスーパーリアリズム方面が流行ってるよね。技術

※3　現実をそのまま表現することをめざして提唱された画法。

※4　写真をもとにして徹底的に克明に表現する絵画。

もすごいでしょ。

糸井 それはひとつの考えだと思うし、それを好きな人たちがたくさんいるんでしょうね。

横尾 でもそれはあくまでひとつの考えというか観念ですよ。ぼくは子どもの頃、写真を見ながら映画俳優の顔をよく描いていました。もう、写真か絵かわからないぐらいに描いていた。「そういうふうに描きたい」という考えがあるからそう描けたんです。石膏デッサン[※5]ふうに描くなら、そうしようという考えがあればできます。それがなければできない。技術は必要なものだけれども、技術からは自由になれなくなります。ものすごい技術を身につけている状態だと、やっぱりそれを自分で見たいし、人にも見せたくなる。

糸井 そうすると、すでにある技術をつきつめるしかなくなりますね。

横尾 でも、それは本当にひとつの考えにすぎないんです。絵にし

※5
石膏像をモデルに描いたスケッチのこと。

ても何にしても、才能というのはやっぱり「そうしようという考え」によって成っていくんじゃないかな。それにね、才能ということでいえば、スポーツでも芸術でも、ある種、偏っていないとできないんじゃないかと思う。あのクリクリと回転する子……。

糸井　白井健三選手。[※6]

横尾　そうそう、白井さんはそうだと思う。

糸井　スケートの浅田真央ちゃん[※7]にも感じますよ。対局中の羽生善治[※8]さんにも。

横尾　うん。みんな、それとなくだけど、じつは「自分がしたいことしかしない」というタイプでしょう。

糸井　きっとそうですね。

横尾　そら、妥協することもあるかもわかんないけど、基本的には、やりたくないことはやらない。やりたくないことをしない場

※6
一九九六年生まれ。体操競技選手。床運動と跳馬で自身の名がつく技が複数ある。二〇二一年に現役引退。

※7
一九九〇年生まれ。フィギュアスケート選手。二〇一〇年バンクーバーオリンピック銀メダリスト。

※8
一九七〇年生まれ。棋士。永世竜王、十九世名人、永世王位、名誉王座、永世棋王、永世王将、永世棋聖。

合、普通は社会的には評価はされないよね。

横尾 その人にまだ力がない場合はそうですね。

糸井 たいていの人は評価されたいわけです。まったく無名の人であっても、されたいわけでしょう。しかし、ある程度社会的に認識された人であれば、「自分はこうしたい」ということを求めていけるようになります。ひとりの人がダメになるかよくなるか、そこで分かれていくんじゃないかなぁ。

横尾 なるほど。

糸井 世間の欲に左右されてダメになっていく人はたくさんいる。かといって、最初はやっぱり成功したい気持ちを持ってないとダメだとも思う。

横尾 そうでないと、まずは「やる理由」がなくなっちゃいますもんね。

糸井 そうね。野心とか野望とか、競争意識は持っていたほうがいい。

ただ、それをどれだけ吐き出せるかが問題です。吐き出しさえすれば、社会的に評価されるなんてことは関係なくなる。吐き出しきった人は、ある意味偏った、人から理解されないかもしれない場所に行く。そこから先に、今度は「どうでもいい」という世界が待っています。そうなると、技術はもう、関係なくなるじゃないですか。

糸井 うーん、そうですね。

横尾 何かをあらわしたいと思っている間はダメなんだ。「あらわれた」というのはいいけどさ。これは難しいですよね、難しいけどもおもしろい。だからね、ぼくは、年齢的に長生きしないと損だと思う。

糸井 はい、それは思います。

横尾 長生きすればするだけ、自分が新しいゾーンに入っていくからね。知らないゾーンに入ったときは、いつも初心者になれます。そんな簡単に「初心に戻れ」ったって戻れないですよ。

糸井 なのに、長生きするだけでどんどん初心に。

横尾 そうそう。誰だって先は見えないんだから。

糸井 未来が見えないという意味では、全員が新人ですね。

横尾 そらそうですね。

糸井 見えたつもりになってる人は山ほどいますが。

横尾 社会的に発言しなきゃいけない立場の人たちは、「見えてます」というふうに見せかけるでしょう。そうしてるうちに、だんだんその欺瞞性が自分に乗っかって、見えているふりをしているだけだということがわからなくなってしまう。

糸井 そうなったら気づけないでしょうね。

横尾 気づかないでしょうね。だって、みんなが評価してくれるんだから。それが真実だと思っちゃうよ。

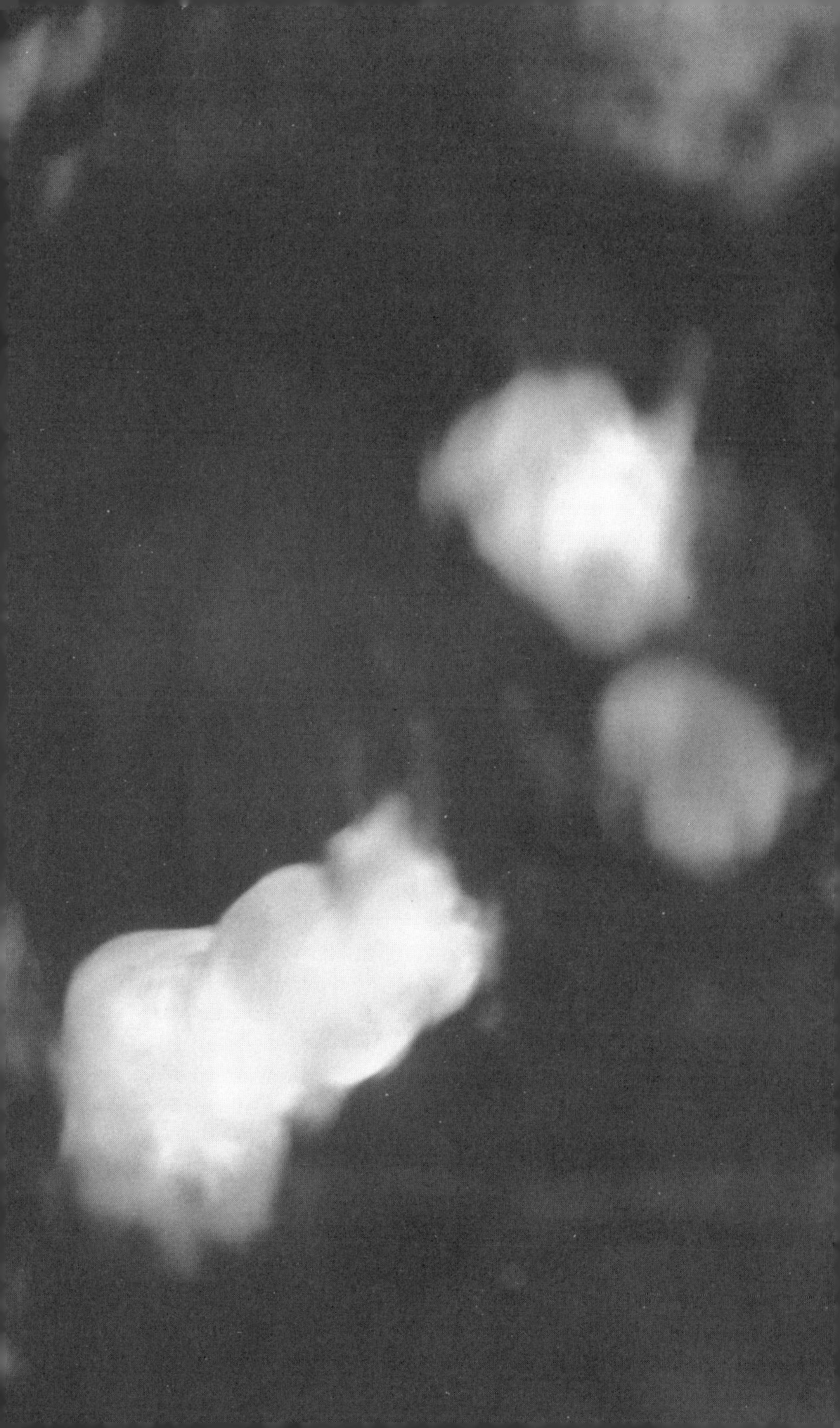

わかっていても何度もやる

横尾　いま描いている、この絵のことですけどもね。いずれはこの顔を「チョンチョンと点で描いたほうがいいんだろうな」ということに、いま気がついたとしましょう。でもそれは、いまやってもダメなんですよ。そのチョンチョンをいまやっても「まだいまはちょっと耐えられない」という気持ちがあったりするんです。チョンチョンとやっても平気でおれる状態に、まだ自分が至っていないときは、わかっていてもその前段階でモタモタしなきゃいけないことがある。「こうしてこうなったらこういう絵ができる、おもしろいな」とわかっていても、一足飛びにそこへは行けない。行ったとしても、その一枚の絵ができるだけで、何か違うような気ぃするのよね。

糸井 何かの極意があるとして、その極意をマニュアルに書いたとしても、そのままはできないですよね。誰だってマニュアルを先に読んじゃいますけど、できない。

横尾 そんなに簡単なことじゃないよね。書いてあるとおりやればおもしろくなるのかもしれないけれども、つまんないということをわかりながらやることも、また必要なんだよ。

糸井 捨てるためにやるのかもしれないし。

横尾 そうそう。次の段階に行くためには、それまでのことを捨ててしまうこともある。みんなに叩かれるか笑われるかわかんないけども、それをしないとしょうがない。そういうことを隠してる人もいるけどね、さらして恥をかいていかないとダメだと思う。

糸井 ははぁ、そうですね。

横尾　若いときは、恥をかきたくないという気持ちが特にあるじゃないですか。

糸井　でも歳を取ると、恥のかき方が上手になりますね。

横尾　そうね、歳取って、体もガタガタしてくると、どうでもよくなる。その状態を理想として、前の話に戻るとさ、絵を描いてるときにシーンと静かな状態にいるのは絵に集中していくからダメなんです。なるべく絵から離れる状態がいい。気がついたら「あ、描けちゃった」というのがいちばんいい、というのはそういうことなの。

糸井　昔の大家族の子どもって、自分の個室がないから、家族みんなのいる部屋で腹ばいになって勉強したりしました。ああいう子のほうが結局は勉強ができた、という記憶があります。

横尾　うん、そうよね。ぼくはひとりっ子で広い部屋をひとりじめしていたからか、勉強ができなかったなぁ。

糸井 大家族の彼らは上手に、集中しすぎないように気持ちを分散させていたのだと思います。そのことはちょっと意識したほうがいいかもしれませんね。つまり、集中って、閉じちゃうんですよ。

横尾 集中してたら勉強の才能も開かないよね。それをどんどん突き詰めて考えていくと、死ぬまでにいっさいのこだわりを全部削っておけば、すごくラクだということになります。

糸井 うん、うん。

横尾 自分のことも、家族のことも、いろんなことも、全部どうでもよくなっているか、あるいは忘れているといいんです。いろんな問題を抱えたまま絵を描いても、それを抱えたような絵しかできないからね。しかし、逆に言えばこうなります。「絵の中で自由にできれば、実際の問題に対しても自由にできる」これは、できそうな気がするわけ。

糸井　あ……、そうですね。

横尾　身のまわりの問題を解決してから絵をその方向にもっていくことは、ぼくはできないと思う。

糸井　うん、それはできないですね。「神になってから描け」というようなことですから。

横尾　そうなんだよ。そうじゃなくて、絵を描いているうちに、もう、家族のことはどうでもいい、財産もどうでもいい、名誉も地位もいらない、すべて気にならなくなっていく。ぼくは絵を描くことによってだけ、それが「いける」と思うわけ。絵でもスポーツでも音楽でもなんでもいいんだけどさ。「身のまわりのあれを片づけて、これを片づけて、断捨離[※1]をしましょう、持ちものも人間関係も全部すっきりさせましょう」そんなところから絵を描いたってね、それはできるかもわからないけどさ、本当のところは何をやったとしても、何かの問題が、

※1 だんしゃり。もともとヨガの思想。ものを減らし、断ち、離れることで快適な生活を送ること。やましたひでこが著作で提唱。

じつは残っていくもんでしょう。

糸井　完璧になんてできないし、できたとしてもその「かたち」ができるだけですよね。

横尾　だから、そんなことよりも、何か自分が夢中になれるものをやって、それが達成されると――まぁ、達成ってこともないんだけど――、自分のややこしい問題が全部「人ごと」みたいになっていくんじゃないかな。

糸井　そうかもしれませんね。その道もかなり険しくて「歳を取ってどんどん初心者になっていくしかない」というところに行くんだから、やっかいですね（笑）。

横尾　まぁそうね。でもそれがいちばんいい状態だと思う。

糸井　いま描いていらっしゃるこの絵と横尾さんは、これからどうなっていくんでしょう。

横尾　これをいま「完成だ、これ以上できない」というふうに認めてサイン[※2]を入れちゃうというようなこともあるかもしれない。しかし、いま現在はできないわけよ。この絵はやっぱりもうちょっとだけ「絵」に近づけそうな気がするわけ。そうするとつまんなくなることもわかっている。つまんなくなるんだけど、このつまんないことを、じゅっぺん、にじゅっぺん、さんじゅっぺん描かないと、この先に行けない。この顔がこののっぺらぼうでいい、というふうにはいまは認められないんです。

※2 芸術家は力を注いだ自作である証として完成した作品にサインを入れることが多い。

HAWAII

YOKOO CURRY

横尾忠則のカレーは「熱めしに冷やカレー」「冷やめしに熱カレー」
など、時間の経過とともにさまざまな温度アレンジで食べられる。
横尾家のカレーレシピで、YOKOO CURRY を作ってみましょう。

材料（横尾忠則ひとり分）

にんにく　3かけ
たまねぎ　大2コ（小なら3コ）
トマト　2コ
にんじん　1本
じゃがいも　中3コ
いんげん　多め
りんご　1コ
バター　適量
油　適量
牛肉（薄切り）　たっぷり多め
レモン　半分
蜂蜜　大さじ2杯ぐらい
醤油　大さじ2杯ぐらい
生姜　多めの適量
塩・胡椒　適量
小麦粉　大さじ3杯～4杯
水　多めの適量

香辛料

カレー粉、ガラムマサラ、ターメリック、コリアンダー、シナモン、クミン、クローブ、カイエンペッパー、パプリカなど　適量

＊香辛料はむだにならないように、家にあるものを工夫して使う。ただし、ガラムマサラ、ターメリック、コリアンダー、シナモン、クミンは必ず入れる。

お好みで

ラッキョウ
ウスターソース

作り方

下ごしらえ

にんにく3かけをみじん切りにする。
たまねぎ1コを薄切りにする。もう1コ（小なら2コ）は6つ切りに。
トマト2コはヘタをとり、粗みじん切りにする。
にんじんは縦半分に切ってから、乱切りにする。
じゃがいもを大きめに切り、しばらく水につけておく。
いんげんは端を切り落とし半分に切る。
レモンをしぼる。
りんごはすりおろす。
生姜はすりおろし、しぼり汁のみにしておく。

加熱調理

1
鍋に油を入れ、バターを加える。みじん切りにしたにんにくの半分量を炒め、薄切りにしたたまねぎを鍋に入れてよく炒める。たまねぎが透き通るまで炒まったら、粗みじん切りにしたトマトを入れて炒め、6つ切りにしたたまねぎを入れて炒める。

2
フライパンに油、バターを入れ、みじん切りにした残り半分量のにんにくを入れて炒め、香りが出たら牛肉を入れて表面の色が変わる程度に軽く炒め、塩、胡椒をまぶして下味をつけ、レモンのしぼり汁をまわしかける。

3
②の炒めた牛肉を①の鍋に入れて多めの水を入れる。軽く混ぜ、にんじん、いんげんを入れて少し煮る。次にじゃがいもを入れ、塩、蜂蜜、醤油で味をつけ、さらに煮込む。

4
鍋で煮ている間にルーを作る。フライパンに小麦粉大さじ3杯~4杯を入れて炒め、カレー粉、ガラムマサラ、ターメリック、コリアンダー、シナモン、クミン、クローブ、カイエンペッパー、パプリカなどの香辛料を入れ、弱火でゆっくり炒める。サラサラになって粉っぽさがなくなったら、フライパンの底を少し水で冷やしてフライパンの温度を下げてから、③の鍋のスープを数回に分けてフライパンの端から少しずつ入れ、ダマにならないように手早く混ぜる。香りが立ってルーがいい感じの固さになったら、③の鍋に入れてよく混ぜる。

5
最後にすりおろしたりんごと生姜のしぼり汁を鍋に入れて、弱火でゆっくり煮込む。味をみて、足りないようなら塩、胡椒、醤油を入れ整える。じゃがいもが柔らかくなるまで煮込んだらできあがり。

6
お好みでウスターソースをかけ、ラッキョウを添えていただく。

温度差で味の変化をたのしみましょう。

1日目

熱カレー + 熱めし

2日目

冷やカレー + 熱めし

3日目

冷やカレー + 冷やめし

4日目

熱カレー + 冷やめし

※作ったカレーはすぐ冷蔵庫に入れるなど、食中毒に注意して管理しましょう。

「ゲーテ」2021年9月号より　photo：鈴木拓也

2019

スマホと霊界

横尾　スマホを買って一年ほど経つわけだけれども、これまで何人かに操作方法を教えてもらったの。でもそういう人って自分が慣れていて知識があるから、ポンポンポンとやってしまうわけ。こっちはわからないままですよ。本当は初心者のような人に教えてもらったほうがいいんだよね。スマホってある程度、頭がよくないとできないんじゃない？

糸井　そんなことないですよ。

横尾　頭がよくなくてもできる人はできる？

糸井　ぼくはそっちのほうです。横尾さんがちょっとがまんしてくれる覚悟があったらぼくは教えられます。でも横尾さんはその「ちょっと」がお嫌いですよね。

横尾 問題は「がまん」なの？

糸井 そうだと思います。

横尾 がまんの修行をまずやって、それをパスしたらスマホを教わるというよりしかたないね。

糸井 ぼくも横尾さんと同じで、何かを習うのは苦手です。そのコツもやっぱり「ちょっとがまんすること」だと思います。

横尾 こんなんね、死んだら誰でもできるよ。

糸井 ああ、そうですね。交信したり、何かすぐに調べがついたり。

横尾 死んでからはオールマイティで、すべてのことがわかるんだから。死んでからの生活を、スマホを通じていまの人たちはやってるんだよ。むこうに行ったら、こんなもんなしでもできるよ。地上のことがすべてわかる。死後の世界に行くためのスタディをいまやってるとすれば、現世でスマホばっかりやってる人が死ぬと、これを持ったまま死ぬわけだから、向こうでも気づかずにスマホだけをやっちゃうんじゃないかな。霊界のほうがもっとすごいのに。

糸井　それは気をつけないと。スマホばっかりしないように。

横尾　まぁ、これは霊界からのプレゼントみたいなものでしょう。シミュレーションだと思っていればいいよ。

糸井　でも、スマホでこんなに練習しなくても、テレパシー[※1]ができるというほうにあこがれがあります。

横尾　向こうはテレパシーの世界だからね。くれぐれもスマホに依存しないようにしたほうがいい。テレパシーをスマホで解明しようとすると、霊界に入りにくくなるかもしれない。これはかなり理屈っぽい道具だからさ。

糸井　理屈っぽいですね。定規で線を引いて絵を描くようなものだ。

※1　他者の心情が言語や表情などによらず直接伝達されること。

横尾　これをいいかげんに扱っている人はいいんだよ。完全に依存してる人が霊界にうまく入れない。

糸井　スマホの従属物になっちゃってるような人、山ほどいるからなぁ。

横尾　とはいえぼくもスマホ、もっとやってみるかな。

糸井　霊界から遠ざかっちゃいますよ。

横尾　反対にぼくから世の中のことが遠ざかってしまいますのでね。

DeNAファンになったのは

糸井　ぼくは何より、知らないうちに横尾さんがDeNA[※1]ファンになっていたことに驚きました。

横尾　そんなにビックリすることかな？

糸井　ビックリしますよ。もともとはジャイアンツ[※2]ファンだったじゃないですか。

横尾　そうねぇ。でもDeNAファンになった根拠はないんですよ。

糸井　ジャイアンツファンだったことにも根拠はないですよね？

横尾　まぁね。でも自分のジャイアンツファンは一生続くと思ってた。王[※3]さんが好きだったんだよ。王さん、絵が好きだから。

※1
プロ野球チームの横浜DeNAベイスターズ。

※2
読売ジャイアンツ。巨人軍。

※3
王貞治。一九四〇年生まれ。通算ホームラン八六八本は世界記録。

糸井　王さんはピアノも弾きますね。DeNAに好きな選手はいるんですか？

横尾　特別好きな、ってこと？

糸井　そうです。

横尾　うーん……監督のラミちゃんかな。※4

糸井　ああ（笑）、なるほど。

横尾　ぼくはラミちゃんがベンチでよろこぶあの表情が見たいわけ。あとはわりとどうでもいいの。ラミレス監督、よろこび方がすごいのよ。やっぱり日本の人だとああはいかないと思う。

糸井　ラミレスはいいですね。

横尾　前にラジオで、横浜ベイスターズファンになるための野球講座みたいな番組があったんだよ。それにぼくは毎年呼ばれて球場まで行っていたわけ。もうひとりのゲストが横浜ファンで、作家だったり俳優だったりして、みんなで試合の解説す

※4
アレキサンダー・ラモン・ラミレス・キニョーネス。一九七四年ベネズエラ生まれの野球選手。二〇〇〇年ヤクルトスワローズに入団。読売ジャイアンツ、横浜DeNAベイスターズを経てDeNAの監督に。二〇二〇年のシーズンまでDeNAの監督をつとめた。

るの。ぼくは巨人ファンだったでしょ？　だからその番組ではみんながぼくに対してワンワンワンワン攻撃してくるんだよ。そしてなんとか試合の間にぼくを横浜ファンにさせるという企画でした。声をかけてもらって、三年間続けて毎年番組に参加していました。

糸井　そのときには横浜ファンにはならなかったんですね？

横尾　ならなかった。ある年の放送でジャイアンツの江川[※5]投手の悪口を言われたことがあった。それに対してぼくは番組中に腹立って反論しました。なんて言ったか忘れたんだけど、アナウンサーの方が横で「ただいまゲストの方から不適切な発言がございました。お詫びいたします」なんて言ったの。生放送ですからね。「もしかしてぼくのこと言ってるんですか？」と訊いてもみなさん「いやいやいや」なんてごまかすの。ぼくを横浜ファンにさせるまで毎年呼ぶはずだったのに、次の

※5
江川卓。一九五五年生まれ。野球選手。高校時代からプロ野球現役引退まで「怪物」と呼ばれる記録を次々に残した。

年から呼ばれなくなりました。

糸井 それで終わったんですか（笑）。それなのに……。

横尾 いまごろファンになったのよ。ずいぶん前に、巨人だけじゃなく日本のプロ野球そのものに興味がなくなったというのにね。ラミちゃんが監督じゃなければどうなったかわからない。あの人、すごくうれしそうな顔してよろこぶんだよ。負けたときの態度も冷静でいいです。

ALC.0.00%

生活感覚をもらっている

糸井　横尾さんは病院[※1]をいままでたくさん描いてますすね。病院にいるときもスケッチしたりするんですか？

横尾　病院にいると絵を描く能率が上がるんですよ。先生もしょっちゅう見に来るし。

糸井　横尾さん、病院が好きだもん。

横尾　もうちょっと入院のばしてくださいとか、しょっちゅう言ってるよ。これまでかかったことがないのは産婦人科と小児科。それ以外はありとあらゆる科に行きました。お正月にも病院にいたくて「なんとかお正月を病院ですごさしてください」

※1　横尾は病院好きとして知られる。二〇二〇年には横尾忠則現代美術館で「兵庫県立横尾救急病院展」を開催した。

と先生にお願いしたこともあります。

糸井 それは病院のほうも驚くでしょう。

横尾 「いや、お正月くらいはうちへ帰ってくださいよ」と言われました。お正月こそ病院にいればおもしろいのに。

糸井 三食昼寝つきですものね。

横尾 「病院でおせち料理が出るのかな」とか、興味あるじゃない。

糸井 きっと出ますよ。

横尾 食べてみたいです。

糸井 横尾さんは、しょっちゅう病院に行ってるわりにお元気ですね。

横尾 三年に二回は入院してるのにね。入院すると元気になるから、病院の先生は逆にぼくが行かないと心配みたいです。

糸井 病院のどういうところがいいですか?

横尾 ロビーでいろんな患者さんを見るのがおもしろい。めちゃくちゃにおしゃれしてる人がいたり、よれっとした服の人がいたりね。男の人でもパリッとした格好で病院に来る人もいるんだよ。ものすごく気取ってて、それがおかしいの。病人らしく弱々しい感じでもいいと思うんだけどさ。でもね、かく言うぼくも病院に行くときはうんと派手にしていく。病人らしい格好では行かない。入院中はパジャマ着たりするけれども、診察なんかで診てもらうときは派手にしときます。みんなを勇気づけようと思ってね。病人って点滴しながら廊下を歩いてたり、本当にショボーンとした感じなんだよ。

糸井 点滴を持ってガラガラ歩くと、ちょっと肩落とし気味になってしまいますよね。横尾さんはツッパッて、入口では派手にしておく、と。

横尾 そうじゃないと自分も同化されてよけいに病気になったような気がするの。「病気じゃありません！」という格好で行ってちょうどいいよ。

糸井　病院に行くときはどこか痛いんですか？

横尾　具合が悪くなるから行くんだよ。「ちょっとしばらく行ってないから」とかいってさ。

糸井　なんだか海外旅行みたいです（笑）。でも病院に入ったら絵は描けないでしょう？

横尾　いやそれが、入院したら、すごく描けるんです。

糸井　え？

横尾　入院が決まったら、最初からキャンバスと絵の具持ってって、こうして並べてさ。

糸井　実際に描くんですか。

横尾　もちろん描く。

糸井　熱があったりしないんですか。

横尾　しますよ。その熱を利用して描くわけ。絵は熱っぽいほうがいいんです。あんまり健康優良で絵を描くより、どこかハンディキャップがあったほうがいい。

糸井　横尾さんのツイッターを拝見していると「調子がよくないときに自分の新しい何かが見える」というようなことをよくおっしゃっています。

横尾　調子がよくないときに絵を描くと、不思議なことに調子がよくなっていくんですよ。少しずつ回復していく。だからぼくは結局、「絵を描きすぎて病気になって、絵を描いて治す」このくり返しです。

糸井　なるほど。

横尾　描きすぎになると体力がついていかなくなって病気になる。病気になったら今度はまた絵を描きはじめます。すると徐々に回復していく。

糸井　描きすぎる絵と回復する絵は違うものなのかなぁ。

横尾　どうだろう？　溜め込んだものを吐き出す絵と、浄化していく絵、という感じかな。小説家にはこれはわからないんじゃないかと思う。小説って頭の作業でしょう？

糸井　そうですね。

横尾　ぼくの場合、コンセプチュアル[※2]じゃないから、絵は頭の作業ではありません。むしろ空っぽ。あんまり考えないときのほうが能率も上がる。

糸井　横尾さんがデザイナー[※3]として仕事するときにはそんなことはないでしょうね。

横尾　デザイナーは、やっぱり考えますよ。

糸井　そうですよね、デザインは考える。画家になって、横尾さんはまったく違うことをはじめたんですね。

横尾　結果はよく似ているようでもね。デザインはお仕事だけど、絵は生き方だからね。

糸井　表裏ですよね。

※2　コンセプチュアル・アート。前衛美術のひとつ。概念や観念的側面に着目させる。

※3　この場合、おもに本の装丁を含むグラフィックデザイナー。文字、写真、絵などを同一画面に構成し、情報を視覚的に伝える仕事。

横尾　表裏。本当にそうだと思う。

糸井　イラストレーションやデザインは機能が買われるわけです。だから、いまの横尾さんを知るぼくとしては、当時よくがまんなさったたな、と思います。

横尾　いろんな注文や制約、指定された目的の中で小さな抵抗をしていくのがおもしろかったのかもしれないね。

糸井　いたずらみたいに横向いたり。

横尾　そうそう。ぼくの場合はね、クライアント[※4]にどういうものを作ってほしいのかをまず聞くんですよ。文字の大きさはどうですか、どの順番で大きくすればいいですか、そういった条件を一応全部聞くわけ。聞いた条件の中で二つ三つ、向こうの好みをチョンチョンと入れとくの。そうすると、全体的には彼らの好みじゃなくても、自分たちの好みがちょこちょこ入っていれば、もう「それで通る」みたいなところがあるん

※4
発注元。広告の場合は企業、団体、または代理店。書籍や雑誌の場合は発行する出版社。

糸井　です。あんまり文句言わない。「あなたがこれ入れろって言ったから、入ってるじゃないですか」

横尾　……なんていうんだろう、子どもが大人に屁理屈を言ってるみたいな（笑）。

糸井　うん。だからまぁ、これまでやってこられたんだと思う。どこまで子ども意識を通すかだね。

横尾　YOKOO LIFE[※5]は「ほぼ日」の連載でしたが、いまは本を完成させるためにこうしてお話をしています。こういう仕事についてはいかがでしょうか。

糸井　糸井さんはぼくにとっては他力[※6]の方なんですよ。いまもこうしていろんな話をするでしょう？　それがぼくにとってはすごい他力になっちゃう。

横尾　ほう、そうですか。

糸井　ぼくにとってはそうです。糸井さんの知らないうちに、うま

※5　WEBサイトほぼ日刊イトイ新聞で、二〇一七年から一八年にかけて連載した。全二五回。

※6　仏教用語では仏や菩薩の御加護、阿弥陀如来の力のこと。

く活用させてもらってるんですよ。

糸井　それはお互いかもしれません。

横尾　ぼくが糸井さんから何をもらっているかというと、アイディアとかなんとかではありません。むしろ生活感覚とか態度とか、そういうものです。ぜんぜん具体的なものじゃないんですよ。

糸井　そうなんですか、わぁそうか、へぇえ。

横尾　そうです。

糸井　ぼくは仕事柄、いろんな人びとと出会います。そのたびに誰かと似ていたり似ていなかったりします。横尾さんと自分で考えると「不自由が嫌い」というところが、とても似ていると思います。

横尾　ああ、もうまったくそうだね。そこはわりかしよく似ています。

糸井　共通してますよ。がまんしてやんなきゃいけないことからは、どうにかして逃げようとします。

横尾　自由にやってるんだから、不自由にはひっかかりたくない。でも不得意なもの、自分から遠いものもやってみる。たとえば書評。好きなものや得意なものばかりやっていると、食わず嫌いになって自分を甘やかしてしまう。

糸井　ぼくはどちらかというと「やりたいことがある」というよりは「やりたくないことから逃げたい」という気持ちが強いです。

横尾　もっと言えば「やりたい仕事だけれども、やりたくない」ことすらありますね。その判断はそこに私利があるか、私欲があるかが決め手じゃないかな。

糸井　そうですね。それらが交じってます。

横尾　その場合の「やりたい」というのは本能的にやりたいのではなく、社会的にやっとけば便利いいんじゃないかとか、得するんじゃないかとか、そういうことですね。これは若いときの発想だね。

糸井　「やっといたほうがいいんだけど」というものです。

横尾　でもそれは、年齢が上がるとどんどん消えていきますね。煩悩みたいなもんだから。

糸井　あ、それもよく感じます。

横尾　昔だったら引き受けたのに、いまは社会的に意味のありそうなことに興味がなくなってるから。

糸井　最近ぼくは「得意じゃない」ことに手を出さなくなりました。

横尾　ちょうど糸井さんの年齢の頃にみなそうなりますよ。七〇歳のときに、ぼくもそういう感じになったんです。七〇歳の頃、ぼくは帯状疱疹[※7]と顔面神経麻痺[※8]になりました。それまでは肉体年齢と精神年齢が乖離してたんです。六〇歳のくせに気分は四、五〇だったわけ。ところが七〇歳になったときに、気分も七〇歳ピッタリになっちゃった。

※7
おもに水疱瘡のウイルスが原因となって、皮膚に痛みをともなった帯状の水疱が現れる病気。

※8
顔の表情筋を動かす信号が何らかの原因で脳から入ってこなくなり、顔面が動かなくなるなどの症状がみられる。

糸井　わかる（笑）。

横尾　肉体が七〇歳になって、帯状疱疹になって、気分も一度にバーッと接近して同化しちゃったんです。そのとき、これはもしかしたらヤバいと思った。それまでは好きなものと嫌いなものをミックスしていたけれども、それを分けるべきだと思った。それで、『隠居宣言』[※9]って本を書いたんです。

糸井　あ、あれは七〇のときですか。

横尾　うん。あれは他人に対して普及させたりするつもりはぜんぜんなかった。

糸井　自分だけのことなんですね。

横尾　隠居は自分の問題です。しかしある程度、公的に発言してしまわないと、自分がそれをやけに私的に捉えてしまうということがあるんですよ。それは自分の弱いとこでもあるという自覚がある。ときには公的なものを利用するのもいいですよ。

※9　二〇〇八年、平凡社刊。

糸井　やってます、やってます（笑）。言っちゃったから忘れない、というような。

横尾　そうそう。それはけっこういいと思うよ。それと能動的に活動するより受動的に与えられたもののみに対応する。そのほうが自我に振りまわされない。

糸井　ぼくは横尾さんのいろんな真似をしてますから。

横尾　そうですか？　それは真似じゃなくても、本能的にやってることなんじゃないかな。ねずみ年の本能ですよ。

糸井　本能かな（笑）。自他ともに向けて隠居宣言して、横尾さんはそのとおりになりましたか。

横尾　隠居宣言の内容はすごく簡単なことだったんですよ。「やりたくないことはやらない、やりたいことだけやる」これだけです。あとは何もないです。あのエッセイを書いたことで整理整頓ができて、もつれてた状態が、一本の糸みたいにはっきり見えはじめました。断捨離などしなくても、向こうからしてくれる。

糸井 やらないこととの線引きができると同時に「ここまでしていいんだ」という思考の幅もどんどん広がりますよね。

横尾 そうなんだよ。だから今度はみんながぼくに対してすごい疑問を抱きはじめることになった。「横尾さんは隠居宣言したにもかかわらず、どうしてこんなに忙しいんですか」

糸井 そうですね（笑）。

横尾 隠居宣言後は、好きなことをやるからものすごく忙しくなるんですよ。忙しいのは当然ですよ。だって「楽」を生活の中に持ち込むんだから。

糸井 よくわかります。

横尾 あれもしたい、これもしたい。みんな隠居と隠遁[※10]をごっちゃにしてるから間違うんですよ。

※10 俗世間との関わりを絶ち、隠れ住むこと。

糸井　隠れるわけじゃないですからね。

横尾　隠れてね、洞窟の中でさ、霞吸いながら生きるわけじゃないからね。市井の中にどっぷりつかっていて、ワニみたいに水面から目だけ出して眺めているんです。

糸井　生活はある意味で変わらないわけですから。

横尾　そうです。歌川広重[※11]は三四歳で隠居してます。若冲[※12]もそのぐらいで隠居。そこからは自分のお弟子さんに仕事をやらせたり、子どもにビジネス関係を全部まかせて、自分はただ絵を描くだけになった。

糸井　昔は三四歳かぁ。

横尾　どうしても歳を取ると、老化現象が起こるんですよ。

糸井　横尾さんはそれをちゃんと意識なさってるんですね。

横尾　うん。その反作用として、無意識のうちにやってくるのは健康願望ですね。

※11　一七九七－一八五八年。浮世絵師。西洋の画家にも影響を与える。

※12　伊藤若冲。一七一六－一八〇〇年。日本画家。

糸井　衰えていく不自由さから出たいという気持ちはぼくにもあります。

横尾　糸井さんと同い年だと、たとえば誰がいるの？

糸井　永ちゃん[※13]がひとつ違いですね。

横尾　矢沢さんね、こないだテレビ見てたら、バイク乗って走り回ってたね。

糸井　あ、あのドキュメンタリー見ましたか。

横尾　見た。バイクと音楽って共通するところがあると思う。

糸井　そうですね、バイクも音楽も、仲間とツーリングしたり演奏していても「ひとり」の部分がありますから。

横尾　そうね。ただ、三十年も四十年も同じ仲間といっしょにやるのはすごいと思うよ。永ちゃんのテレビをよく見てると、周囲に気を遣ってるのがわかるね。

糸井　はい、遣ってます。

※13　矢沢永吉。一九四九年生まれ。ロックミュージシャン。糸井とは友人。

横尾　いろんなところに対して気を遣ってる。矢沢永吉ってもっとわがままでいいのにさ。

糸井　イメージと逆ですよね。

横尾　気を遣わない人だと思っていたんだけども、テレビをチラチラ見てると、これはずいぶん気を遣ってるなと思ったよ。それに加えてサービス精神が旺盛ですよ。

糸井　旺盛です、旺盛です。

横尾　だから永ちゃんはしゃべりっぱなしです。

糸井　本当にそうです。あんな人はちょっといないんじゃないでしょうか。

横尾　それで、永ちゃんの語る話の内容をテレビでよく聞いてると、永ちゃんはしょっちゅう自問自答してるんだよ。

糸井　いやぁ、横尾さん、よく見てるわ。本当にそうです。

横尾　三島[※14]さんもそういうところがありました。

※14
三島由紀夫。一九二五-七〇年。『潮騒』『金閣寺』『豊饒の海』などを著した作家。民兵組織「楯の会」を結成。

糸井　ああ、三島さんが。

横尾　三島さんの場合は、永ちゃんとは少し違う。自分の意見を述べたりするんだけど、そこにいる人たちが反応を示さないんですよ。そうすると三島さんが自分でワッハッハッと反応するわけです。そういう自問自答です。

糸井　それはちょっと複雑な自答ですね。

横尾　そう。自分で笑ってみせるわけ。その笑い方がおかしくて、みんなが笑う。エンターテインメントのエネルギーをうまく自分の中でブレンドさせてるなぁとぼくは思っていました。

糸井　三島さんは、最後の自衛隊のバルコニー[※15]の場面でもそういう感じがしました。自衛隊はあんまり聞いてくれなくて。

横尾　聞いてないよ。聞くはずないですよね。

糸井　急に現れて何か言いだすわけですからね。それについて、あれだけ頭のいい方が、気がついてないはずは……。

※15　一九七〇年一一月二五日、自衛隊市ケ谷駐屯地のバルコニーでクーデターのための演説を行ったのち割腹自殺。

横尾　全部、気がついてると思います。

糸井　そうですよね、全部気がついていたでしょう。

横尾　あのクーデターは、三島さんは失敗するとわかっていて、計算ずくだったわけです。だから準備してたんですよ。自決もすべて計画してやってる。あの人には「無意識」がなかった。「もしかしたらうまくいくかな」という可能性はないわけです。全部計算して計画立てて、結果も全部自分で想定した上でないと行動しない人でした。

糸井　三島さん、偶然が嫌いでしょうね。

横尾　うん。嫌いだと思う。

糸井　年齢は横尾さんのほうが下ですよね。

横尾　だいぶ下です。あ、いまはぼくのほうが上ですよ。下手すると倍近く上です。彼が亡くなったのは四五ですから。

糸井　すべて「意志」でやる方の切なさは、横尾さんはそばにいて

横尾　感じましたか。

三島さんの「無意識はない」という性質は、ぼくは彼の対談の発言として知ってるんだけれども、それは本当のことだと思う。あるとき三島さんに「夢は見ますか」と聞いたら、見ないって答えた。三島さんは、夢を見たことがないんだよ。『暁の寺』[※16]か何かの小説の中で夢を見るシーンがあるんですが、あれは夢を見る人の夢ではない。全部こじつけで書いてるんでしょう。夢ってあんなふうには現実と一致してないと思うよ。

糸井　横尾さんは夢の名人[※17]ですもんね。ものすごくバラエティ豊かで、おもしろい夢を見られます。

横尾　ところが最近はそうじゃないんだ。昔はそうだったけど、現在の夢は、現実とほとんど変わらない。三島さんに近づいてきたのかも。

糸井　じつはそれ、ぼくもいまそうなんです。どうしてだろう。

※16　三島由紀夫最後の長編大作『豊饒の海』の第三巻。

※17　横尾は二〇代から夢日記をつけている。『私の夢日記』として書籍化もされた。

横尾　ああ、そうなの？　現実と夢がまったく変わらないから、つまんないんだよ。日常が十二時間だとすると、夢のぶんの日常が増えたから、ぼくの日常は十八時間や二十時間になってしまった。

糸井　夢はいままで非日常だったのに、日常になっちゃった、と。

横尾　そのせいで夜も昼です。

糸井　ぼくはありそうなことばかり夢に見ます。歳取ってだんだんそうなってきちゃって。ぼくの夢、本当につまんないんです。

横尾　つまらないよね。虚実の区別がない。あるいは逆転している。無意識が必要ないのかもしれない。

糸井　「つまらない自慢」をし合ってますね。

横尾　昔は超自然的な夢が多かった。いまは本当に日常以下。

糸井　だいたいは旅行先で荷物をパッキングするのに時間がかかって飛行機や電車に乗り遅れそうな夢が多い（笑）。

横尾　きっとそれは、ふだんの仕事で吐き出してる部分が多くなってるからだと思うよ。だから糸井さんは、夢の中に吐き出す分量がなくなってるの。日常ですでにパンドラ[※18]の箱が開いてしまってて、ちょこちょこちょこちょこ出してるから、吐き出すものがなくなっている。だから意識のほうからビジョンを借りてきて、夢を見せようとしてるんじゃないかな。

糸井　……いやぁ、その説明はすばらしいですね。納得しました。現実から夢が借りてるって、あり得る（笑）。

横尾　借りてきて、それをそのままシェイクしたりブレンドしないでスッとそのまま出しちゃってるわけ。

糸井　それはつまんなくなりますよね。

横尾　ぜんぜんつまんない。でもまぁそれは、日常のほうが夢化してるってことだから、いいことかもわからないね。三島さんは夢を見ないとさっき言ったけど、彼は若い頃にすでにぼく

※18　ギリシャ神話における、この世の災いを収めた箱。

らと同じような状態にあったんじゃないかな。あの人、十代の頃に老人小説書いてるじゃないですか。

糸井　そうとう若い頃から。

横尾　だからぼくらは最近になってやっと三島さんの「無意識がない」状態をわかりかけてるんだろうね。ぼくらもこのまま行くと夢がなくなると思いますよ。夢の必要がなくなって、そのかわりに現実が夢化していきます。

糸井　やればやれるような気が（笑）。

横尾　現実のクリエイティブが、夢の産物になる。これからもっともっと、夢を現実でやっちゃうことになるよ。

Face shield
Protective Isolation Mask
Face shield
Protective Isolation Mask

横尾朦朧派

横尾　いろんな仕事が趣味か遊びみたいになっていくよね。

糸井　遊びが仕事で、仕事が遊びで。

横尾　趣味なんていうとさ、ちょっと下に見てる気ぃするでしょ？　「絵は趣味です」というと、レベル低く聞こえるじゃない？　でも、ぼくは最近、堂々と言えるよ。ぼくの仕事は趣味です。絵も趣味です。いろんなことが趣味化してきています。「職人」というのとは違う。そもそも趣味って、切手でもなんでも、舌なめずりして自分のコレクションを眺めるものでしょう？

糸井　そうですね、それほどまでにたのしみなんですよね。

横尾　そうそう、たのしみ抜きの仕事などないですよね。ぼくの絵もそれに近づいてきてる。

糸井　自分もそうかも、という気がします。

横尾　趣味となると、競争意識もなくなります。らくと言えばらくですよ。

糸井　横尾さんの、まだ残ってる競争意識ってありますか？

横尾　えーと、競争意識かどうかわかんないけど、自分の中でやりたいと思いながらまだできてないものはありますよ。それは他人との競争意識じゃないですね。

糸井　それは絵ですか？

横尾　絵です。自画像。[※1]

糸井　自画像……？

横尾　自画像って、現時点から過去にむかって描くものでしょう。たとえば若い頃の自分を描いたりする。そうじゃなくて、自

※1　二〇二一年開催の東京都現代美術館「GENKYO 横尾忠則」のメインビジュアルは巨大な横尾の自画像となった。

画像を描くんだったら、これから先の未来の、もう歯が抜けて入れ歯で、とにかくシワシワで、頭の髪の毛が一本もない絵。そういう老人はこれまで描いてない。

糸井　未来の自画像ですか。

横尾　うん。若い頃は、自分が老人になった姿は想像しません。ぼくはそれをやり残してる。自分を老人化したアート、これは絶対、誰も好みませんよ。美男美女とか恋の絵を描いてるぶんにはいいけど、自分の老人は誰もが嫌ですよ。来年、自画像展を予定しているので、もう全部じいさんの自画像にしようかなと思っています。そのかわり売れませんよ、じいさんの絵はまったく売れないと思う。

糸井　「死んじゃったあと」というのは描きたくなりますか?

横尾　「死んじゃったあと」は抽象化される世界です。死んだら物質がなくなるわけだから、意識だけの世界になりますよね。

糸井　ええ、そんな絵もあり得ますよね。

横尾　うん。実際に死んで向こうへ行ったときのビジョンはものすごいビジョンだと思うんです。こちらでは想像できないビジョンでしょう。向こうへ行ったらもう、絵を描く気が起こらないだろうね。描き残しだけはしたくない。空っぽになって行きたいからね。

糸井　そうですね、きっと絵を描く必要がなくなりますね。

横尾　存在が芸術だからね。瀬戸内寂聴[※2]さんは、生まれ変わったらまた作家になりたい、そして小説書きたいなんて自伝に書いてたけど、とんでもない。ぼくなんかは嫌です。絵を描くことはしんどいです。嫌だ。面倒くさい。だけど、その面倒くさい、嫌だという絵をイヤイヤ描くのもいいんじゃないか、とは思う。その嫌な気持ちを見る人にも感じさせるような絵をね。でね、最近幸いなことが起こったの。まぁ、体にとっ

※2
一九二二年生まれの作家、僧侶。横尾とは五十年来の友人。

ては嫌なことなんだけどさ。

糸井 なんでしょう。

横尾 ぼくが耳が悪くなったとき、瀬戸内さんは「耳が悪くなると絵も変わりますよ」と言ったの。ベートーヴェン[※3]だったらわかるけど、絵の場合は違うでしょう？　耳と絵は連動してないと、そのときは思ってました。瀬戸内さんは観念的に「変わるよ」なんて言っているのだとぼくは思ったわけです。そうしたらなんと本当に絵が変わりはじめたんですよ。糸井さんも経験あるかもしれないけれども、音が「朦朧とする」状態になるというのはつまり、境界線がなくなるということなんです。境界線がなくなって、形がぶわーっとなって、なくなっていきます。ぼくの耳はかなり悪いから、ものすごくぼわーっとしているの。

糸井 音の境界がなくなって、山がひとつになってるんですね。

※3
ルードヴィヒ・ヴァン・ベートーヴェン。一七七〇‐一八二七年。ドイツの作曲家。晩年、耳が聞こえなくなるなか作曲を続けたといわれる。

横尾　そうそう。たとえば「イトイ」だったら、「イ」という音と「ト」という音がハレーションを起こすんです。「イ」と「ト」の境界線が重なる。そうやって朦朧としたものが誰かから発せられても、ぼくには意味として聞こえないんです。「イトイさん」と言っても「ヒホイハン」になっちゃう。こうなるとぜんぜん誰だかわからない。その感じがね、ちょうど目と連動したの。目の乱視と耳の難聴がうまく進行して（笑）、ぼくの世界すべてが「もわーっ」とするようになりました。乱視は二重三重にぼけちゃう。そしてこのあいだ、大きい作品を二点描いたんです。それはものすごく朦朧とした作品です。横山大観[※4]の朦朧体みたいに。

糸井　横山大観の朦朧体か……。

横尾　大観は岡倉天心[※5]の弟子で、岡倉天心がプロデュースして確立したのが朦朧体という思想。しかしぼくの朦朧は身体性から

※4　一八六八 - 一九五八年。芸術家。新画風「朦朧体」を確立するなど日本画の近代化に大きな足跡を残す。

※5　一八六三 - 一九一三年。思想家。東京藝術大学の前身である東京美術学校校長に就任し、横山大観らを育てたことでも知られる。

出てきた朦朧派だから、彼らの思想より本物なのかもしれないよ。

糸井 わぁ、そうか。

横尾 考えより身体のほうが本物に近いはずでしょう。

糸井 ぼくらはうんと小さい頃、「イ」と「ト」の違いはわかりませんでした。それをどんどん区別していくことで大人になり、社会に入っていくわけですよね。しかし歳を取るともう一度、分けていたものをいっしょに朦朧にしていく、ということになるわけで。

横尾 そうね。相対的にものを見られなくなって同化して、子どもと同じくものごとのよしあしがなくなっていくんです。

糸井 でも、いま大人の自分は、分けています。ものごとははっきり見えるし、聞こえているという気になっている。けれども本当は、分かれてないものがたくさんありますよね。たとえば悲しいんだかうれしいんだかわからない気持ちとか、そうですよ。「気持ち」というものが、もっとも分かれてないものなのではないでしょうか。

横尾　そうだね。だから、「気分で物事を判断する」のがいちばん正しいってことになってくるんだよ。そこに、知識だとか教養とか妙な経験が入ってくると、今度は自分で分類をどんどん創造していってしまうんだよね。そんなものはもう、ほったらかしておいたほうがいいんだよ。

糸井　知識の枠の中につい分類していきたくなってしまうんです。たとえばぼくにはよくあることなんですけれども、「わかった!」って言っているときに、何がわかったか自分でもわからないってことがあるんです。

横尾　ある、ある。

糸井　そのときが、ぼくはいちばんたのしいです。

横尾　うん。それをさらに分析したり追究する必要はまったくないんです。

糸井　そうですね。

横尾　放っておいたほうがいいんですよ。放っとくよりしょうがない。

糸井　「すでにできていた」ということでも、なぜできたのか何ができたのか、説明できないことがありますよね。

横尾　あるよ。いまの社会は、なんでもちゃんと解明して、ちゃんとわかって理由づけして白黒つけなきゃいけないことになっています。こりゃあ窮屈な生き方を押しつける社会になっていると思いますよ。

糸井　分類して解析したものをデータとして保存したくなるんですけれども、消えちゃうものがあっても本当はＯＫなんですよね。

横尾　体系化された教養や知識を幼い頃からみなが学んできています。だからそういう人間がどんどん増えているし、社会はずっとそういう人間を要求してきたじゃないですか。

糸井　しかし、体系化されたデータを残してコンピュータに入れても、それは材料をかき混ぜて答えを出すだけです。あの「わかった！」感は、そこにはありません。あれは「ひらめき」なんていう小さいものではない。「わかった！」という大きな衝撃です。そういう人のクリエイティブが人間にとっていちばん刺激的なものになるとぼくは思っています。

横尾　分析したデータを集めるなんてことよりも、人工庭園[※6]を作ればいいんですよ。自分の中に箱庭的なものを作って「これをここに入れる、あれをそこに入れる」ととりあえず思っておけばいい。みんながそんな人工庭園を自分のなかに持っていると、けっこうおもしろいんじゃないかな。

糸井　横尾さんにはありますね。横尾さんのなかに庭園がある。

横尾　そうね、自然に人工庭園はできているし、さらに気がついたら、

※6　横尾忠則には『人工庭園』というタイトルの画文集がある。二〇〇八年文藝春秋刊。

さっきまであったものがなくなって、違うものが入ってたりもする。

糸井 ぼくは広告の仕事をやってた頃、あるコピーがいいのか悪いのかを判断するために、自分のなかに町内みたいな場所を持っていました。庭園じゃなくて町です。そのコピーを、自分のなかの町の塀に貼り紙しとくんです。貼り紙の前を通る人がそれをいいと思うかどうかを、しばらくそのままに見るんです。いいと思う人がたくさんになったらOK。自分で考えたり判断すること以上に、自分の頭の中で放っておくことが重要だと思います。

横尾 それはある意味で他力本願[※7]ということでしょう。

糸井 そうですね、まったくそうです。

横尾 自分の中の他力を利用してるわけです。それが重要。まったくの他力だけじゃダメで、いま糸井さんが言ったように、自

※7 仏教用語では阿弥陀如来の本願の力に頼って救済され成仏すること。

力と他力をうまく一体化させないと、ものは成立しない。自分だけが主体的になろうとするとおかしくなっちゃう。本物の他人でもいいかもしれないけれども、自分の中の他人をあてにするんですよ。

糸井 以前、絵を描いてる最中に横尾さんは「ここをどうしていいかわかんないんだよ」といって、問題をそのままにしておきましたよね。

横尾 未解決の問題はいつでもあります。それは放っておく。しかし、ほかのことをやっているうちにそのままの状態で解決している場合があるんです。だからぼくはひとつの絵の画面の中に布石[※8]をいっぱい打ちます。将棋や碁と同じで、布石を打つ。そこで一回一回、勝負はつけないんです。布石がだんだん埋まっていって、気がついたら「あ、これでいいのと違うかな」という状態になることがあります。絵だけではなく、ほかの

※8 試合の序盤で、全体を考えるように石を打っていくこと。

ことでも同じ。勝負はいちいちつけなくてよろしい。その「いいのと違うかな」は完成という意味ではなくて、飽きたり避けたりしているだけなのかもしれません。でも、離れられるんです。未完の状態で絵から離れる、それでいいと思います。食らいついて一年も二年も同じ絵を描いてる人もいますが、ぼくはそうじゃなくていい。肉体と同じで自然治癒にまかせちゃう。

糸井 横尾さんは、未完で放っておいた絵をまた描きはじめることがありますよね。

横尾 あります。いまちょうどやってるんですよ。もう、二十年以上前の作品にもう一度手をつけています。そのまま放っておこうとしてギブアップしてしまったやつです。引っ張り出してきていま見ると、そりゃもう、半分他人の描いた絵ですよ(笑)。そこにいまの自分がいろんなものをつけていく。前の絵を全部消しちゃわないでそれを活かして、昔といまをコラボさせるんです。そうすると、まぁ、なんとも言えない、変なものになるわけ。たぶん評論家は判断できないものになる。

糸井 こんなこと、若いうちはできないよ。

横尾 時間を経ていないと自分もそんなには変わってないし、若いときはそんな余裕もないですもんね。

糸井 昔の自分は自分なんだけども他人だから、若い時期には相手として意識してしまう。でもいまは相手を意識しなくなっちゃったからできます。

横尾 横尾さんが絵を描くことを「やめる」ということがないのは、どこにいちばんの理由があるんでしょうか。

糸井 いまぼくが話したようなことを含む、遊びというおもしろさ全部のせいですね。

横尾 おもしろさ、かぁ。

横尾 糸井さんがぼくの年になるには、あとひと回りだから十二年後だね？

糸井 そう、十二年です。

横尾 そうすると、矢沢永吉さんも十二年後には八三歳になるわけか。

糸井 そうですね。ぼくよりひとつ下ですけれども、そのときステージをやってるかどうか……。

横尾 ぼくがもしミュージシャンだったら、いまの年齢でもたぶんステージに立つと思う。ミュージシャンだったらね。

糸井 本人もたぶんそのつもりだと思います。

横尾 うん。だから、立つでしょう。だけど前の自分を超えようとはしない。

糸井 横尾さんも絵のステージに立ち続けています。いま、公開制作の予定はあるんですか。

横尾 予定はないです。いつかやってもいいかなとは思ってます。

糸井　この前、ちょっとやりかけたんだけど……。

横尾　やめたんですか。

糸井　二時間やって、やっぱり疲れたからやめた。その二時間でやめた絵が、これからの仕事の糸口になる予感もあります。描きあげてしまってるとそれで終わりなんだけど、描き損じた、描き切れなかった部分が、次の発展になるなぁという感覚がある。答えはその日に出さないほうがいい。

横尾　糸口って、そういうときには山ほど見つかりますね。

糸井　そうですね。糸井さんなんか特に見つけそう。

横尾　糸口をつかむことは、できあがり以上にうれしかったりするんです。放っておくとまた育って、違う見つかり方をしたり。ほとんどの絵が未完であるということを含めて、横尾さんのおっしゃること、ぼくはいつもすごく納得できるんですよ。

横尾　ぼくはものごとを深く追究するとか探究するとか思索すると

かいうことは、もともと得意じゃないからね。ほっちらかしにして、面倒くさいことはもういいや、ってな感じ。それは関西人[9]特有の気質かもしれない。

糸井 そうかなぁ。こんな関西人はいないですよ（笑）。

横尾 ぼくが言わんとするのは、関西の身体性です。しゃーないやんけという諦念の思想（笑）です。

糸井 身体性ですか。

横尾 関西人は、見た目にもシャキッとしてないんです。ふにゃふにゃしてるんですよ。みな一列に並べったってふにゃふにゃふにゃしながら並ぶわけ。さんまさん[10]とか鶴瓶さん[11]もふにゃふにゃしてるでしょう、あれですよ。あの身体性が学校の生徒全員に及んでいて、みんなふにゃふにゃふにゃふにゃしてるんです。あの独特の身体性から生まれる言葉がまた、なんともいえないでしょう。いわば非論理的で、よくわから

※9 横尾忠則は兵庫県西脇市出身。

※10 明石家さんま。一九五五年和歌山生まれ、奈良育ち。お笑い芸人。

※11 笑福亭鶴瓶。一九五一年大阪生まれ。落語家。タレント。

ない。ぼくは関西をラテンっぽいと思う。イタリアの人たちと仕事するとよく思うけど、彼らも遊びが好きで、責任感を見せなくて、かなり似てると思う。

糸井 横尾さんはご自身に関西の文化風土の影響が大きいと思ってらっしゃるんですね。

横尾 うん。ぼくの作品ってどっちかというと色彩的で感覚的でしょう? 東京の作品というのはわりあい造形的で知的なんです。

糸井 ああ、そうだ、そうだ。

横尾 東京は、どちらかというと形から入っているものが多いと思います。ぼくは形については長いこと弱かった。だから色彩的な平面で、立体は弱いんです。

なるようになる

糸井　横尾さんがルールが苦手なのは、やっぱり何にも縛られたくないという思いがあるからでしょうか。

横尾　主義主張がないからじゃないかな。主義主張のある人は、自らを縛っていくじゃないですか。その主義と主張によってコンセプトを作って、枠組を作る。彼らにとっては枠組の中で行動する自由性はあると思うんですよ。けれども枠の外へ行ったときには、どういうふうにしていいかわかんなくなるでしょう。ぼくは主義主張がないから枠はありません。そのかわりに、ルールが苦手だし、危険といえば危険です。その危険をおもしろいと思っています。

糸井 横尾さんの作品を見る人たちはみんな、その危険さや主義主張のなさを浴びることになります。そのほうがきっと、見ている人たちの「自分」が変わると思うなぁ。

横尾 危険といえば、ぼくはギリギリが好きでね、かみさんとよく旅行すると、電車に乗るために十分前にホームに上がるわけよ。ぼくは待合室にギリギリまでいて、電車がダーッとホームに入ってくる音を聞いて階段を上がっていく。そしてホームへ立ったときにぼくのためにドアがパッと開いてスーッと迎え入れられる乗り方をするわけ。うちのかみさんは、電車が来てドアが開いたところに行く。ぼくは違う。ドアがぼくを待ち構えて開く。そういう危機感が大好き。

糸井 横尾さんの主語はいつも自分なんですね。それ、失敗はないんですか？

横尾　ない。なんとも快適なの。電車が入ってきて、スーッと歩いて、スーッと行ったら、パーッと開く（笑）。そこに待ってる人が動いてきてドドーッと乗るわけ。ホームで待つことはもう、ぼくの創作には合ってないのよ。

糸井　……そうだとは思いますけど、がんばりますね、横尾さん（笑）。

横尾　乗り遅れたことはないよ。もしかしたら、ギリギリを行くぼくの存在が周囲のストレスになってるかもわかんないけど（笑）。まぁ、女房を冷や冷やさせる悪趣味もあるけど。

糸井　いやぁ、でも、ひとつずつのシチュエーションでそうしないとダメだというのはわかります。

横尾　ぼくは別に、人を心配させようとは思ってないよ。そんなことぜんぜん思ってない。そのぼくの遊びに女房が共感すればいいんだけどね。けれども、決められたものに対して自分が従っていくのが嫌なだけです。

糸井　規則はできるだけ避けたい、と。横尾さんはいたずらはするかもしれないけど、いばったり意地悪はしない。それはそういうところから来ているんですね。

横尾　うん。危険はおもしろいし好きだけど、あんまり人に意地悪はしたことないですね。

糸井　ないですね。いたずらは……。

横尾　いたずらはするよ。子どもの頃なんて、ずっといたずらばっかりしてたた。田舎育ち[※1]だからいたずらの種がいっぱいあったんだよ。そういう十代までの経験がいま全部役に立ってる。二〇歳以降は、知識とか情報とかそういうものばっかりが目立つじゃないですか。そういう経験も、まぁ適当に、便宜上使います。使うけどね、本当の原形は一九歳までのあいだに得たものじゃないかと思います。

糸井　そこから中学高校と進むと、だんだん同じ種類の人同士が集

※1　コブナ釣りに明け暮れ、故郷の川のコブナを自分が捕りつくしたのではないかと思うまでになった。

まることが多くなっていきます。働きだしてからもそうでしょう。似た者同士であれば話も合うし、ものごともうまく進むんだけど、そこでも実際は解決しない問題だらけですよね。むしろ人が交じりあっていたほうがいいと思います。

横尾 糸井さんとこなんか社員数が多いでしょう？ 社員全員の生き方や考え方は統一されてますか？ バラバラでしょう？

糸井 バラバラです。それは意識的に守っているつもりです。

横尾 その中にトリックスターはいるの？ ……いや、そうか、糸井さんがトリックスターですね。

糸井 いまはそうですね。

横尾 団体の中にトリックスターがひとりいると、すごく円滑になるんですよ。トリックスターのいない企業はだいたいダメです。でもトリックスターって、普通は排除されちゃうの。

糸井 ぼくは自分がトリックスターだから大丈夫です。

※2 「株式会社ほぼ日」のこと。

※3 秩序を破り物語を展開、活性化させる役まわりのこと。

横尾　ほぼ日の場合、排除できない場所にトリックスターがいるんだね。排除する役も糸井さんは自分でやるしかないの？

糸井　自分としては引き際があるのかもしれないと思っています。でもひとまわり年上の横尾さんを見ていると「十二年経ってこのくらいのトリックスターでいられるんだったら、引かないほうがいいのかもしれない」とも思います。

横尾　そうだね。引くことなんて考えないほうがいいと思うよ。

糸井　みんな同じこと言うなぁ（笑）。

横尾　考えなくていいよ。「なったときにはそれでいいじゃないか」でいいと思います。

糸井　横尾さんにも言われた、永ちゃんにも言われた、矢野顕子[※4]にも言われた、かみさんにも言われました。「なるときはそうなるんだから」って。

横尾　ぼくの考え方の根本的な原理があるとすれば、それは「なる

※4　一九五五年生まれ。音楽家。多くの糸井重里作詞の歌を作る。糸井とは友人。

ようになる」というものです。それはまったくそうなんですよ。なるようになる。ならないようにはならない。なるようにしかならない。運命はいくらでも変えられますが、運命に抵抗しながらどんどん変えていって、あげくの果てに人生失敗する人がどれほど多いことか。

糸井 そうですね。

横尾 ぼくは面倒くさがりだから、運命に従う。もし運命がダメだったら、ぼくもダメです。でも、運命がよければ、それはいいことになるわけだ。運命はよかったり悪かったりします。「なるようにしかならない」という基本的な姿勢は子どもの頃から身についています。

糸井 ぼくは横尾さんほどそうなれてないなぁ。

横尾 「面倒くさい」というのがぼくの口癖だって糸井さんは言うでしょ?

糸井　はい。

横尾　面倒くさがりというのはつまり、自分の主体性がないということなんですよ。運命や他人の主体性に便乗しているんです。そうするとすごくらくなの。

糸井　いつも「me too」って言ってればいいんですよね。

横尾　うん。神戸にいる頃まで、ぼくは野心、野望、願望、夢、欲望、ものすごく少なかった。友達から「おまえはなんでそんなに欲望を持たないのか」とよく言われていました。ぼくは、いつも言うけど、学生の頃はずっと郵便屋さん[※5]になりたかった。でもなれなかった。それはガッカリだけれども、そんなガッカリが問題じゃないほどに、東京はすごかったんです。東京へ出てきて日本デザインセンターに入ったら、周囲がみな欲望と願望と執着、名誉、地位、煩悩のかたまりだった（笑）。驚くほど競争意識がすごいわけ。ぼくみたいな田舎者はその

※5
横尾は幼い頃から郵便配達員にあこがれていた。少年時代から切手収集を趣味とし、高校時代は正月にアルバイトで年賀状を配達するのが何よりのたのしみだった。

糸井　歯車には合いませんでした。

横尾　うんうん、よくわかります。

糸井　すごくしんどかったです。欲望や願望を持たなきゃいけないってことは、本当にしんどい。

横尾　みんな着実に目的を持ってるし。

糸井　そうそう。目的ばかりか、なんと結果も考える。ニコニコしているけども、腹の底で何を考えてるかわかんない。デザインセンターに入ったときが、ぼくは人生でいちばんしんどかったです。フリーになってからはかなりらくになりました。

横尾　あの頃、みんなアメリカの真似してたから、欲望で走っていくのがカッコよく思えたんです。

ぼくは面倒くさがりでよかったと思ってるよ。人の仕事を見てるだけでも面倒くさいから、本当にたいへんだよ。糸井さんも、あと十年するともっと面倒くさくなるよ。するともっとやりやすくなる。糸井さんは下地があるだけに、八〇になったらもっと極端になると思う。すごく期待がもてるんじゃないでしょうか。

糸井　そう思いますし、うれしいです（笑）。面倒くさいのココロは「どっちでもいい」んですよね。

横尾　うん、そうだね。そのとおり。

糸井　だって、みんな正解なんだから。どっちだっていい。それがYOKOO LIFEの真髄かな。

横尾　「どっちでもいい」は生きやすいよ。いちばんいいと思う。「これじゃなきゃいけない」ということがないわけだから。なんでもないのがいちばん大切だよ。

糸井　そのとおりだなぁ。

横尾　糸井さんなんかは学生時代に主義主張[※6]をやってたでしょ？

糸井　だから懲りてます。主義主張をしていた人たちは、いま考え

※6
糸井が法政大学に在籍していた時代は学生運動が盛んであった。

ると本当に、自分を含めてたいしたことのない人たちばかりだったから。いまは横尾さんのおっしゃることが心からよくわかります。

横尾 そうね。自我が強いと自分が損をするよ。煩悩がなくなると自由自在に発想できる。何にもとらわれない、風がこっちに吹けばこっちになびく、これは究極の悟りに近いんじゃない？

糸井 融通無碍みたいに。

横尾 主義主張があるのはある意味でらくなんだろうけど、主義主張があったらその地点には行けません。

糸井 思想を持つことによって考えは理論化されます。主義主張がない人は理論がないのと同じで、理論がないことは、すごく怖いことなんです。なかなか耐えられることではないんですよ。でもいまぼくらには、横尾さんという先を歩く人がいてくれるおかげで、すごく助かります。……あ、そろそろ時間かな。

横尾 では帰りに、ローストビーフ[※7]とやらを買いにいきましょうか。

糸井 いいですね。

横尾 どこかで「ぜんざい」[※8]を食べに寄れる場所があったら、ぜひ寄りたい。

糸井 ぜひ行きましょう。一軒、あてがあるんです。

※7 このページの対話が行われたのは二〇一九年。箱根の宿にて。箱根の精肉店でローストビーフをおみやげに帰った。

※8 横尾の好物。この日は箱根湯本駅前の甘味店で糸井とぜんざいを食べた。

あとがき

横尾忠則

糸井さんは僕とひと廻り違うネズミ（子）歳だ。同じ干支だから性格は似ているはず。二人共広告畑から出てきた人間なので、その辺も似ているのかも知れない。自分に似た人間は長所も短所も同じだから、そこがぶつかったらヤな奴ということになるのだが、そんな感情は一度も抱いたことがない。糸井さんは同じ広告界といってもコピーライターで言葉の人。僕はビジュアルの人だから、考え方は同じでも表現が視覚的になる。だから、視覚は説明不可能である。

そんな二人が、共通の話題について語り合ったのが本書の対談である。言葉はどうしても意味を求めるが、僕は意味など、あってないもの、どうでもいいと考える人間である。いや、その意味がわかったからといって、何になるみたいなことを考える人間である。この対談で語り合っている内容は何かのためという大義名分などない。話すこと自体が目的で愉しくて面白い時間を共有できればそれでいい。そんな役に立たない時間をなんとなく無為に食いつぶすことが、結局生きることではないのか。

禅僧がある日突然悟って、この世界とひとつになる。誰かさんのように三万冊も本を読まないで、たった一冊の本も読まなかった人が、一瞬世界と同一化する。面倒臭がり屋の二人には憧れますが、座禅のような面倒臭いことはしたくない。何か別の方法で三万冊が超えられないかなと妄想しながら、大気圏内から大気圏外へ飛び出すことを夢見ている虫のいいことを考えている二人なのです。

初出一覧

「これでも教育の話？
どんな子供に育ってほしいかを、ざっくばらんに。
横尾忠則さん編」 2002年

「ヨコオとイトイのTHEエンドレス」 2009年

「横尾忠則、細野晴臣、糸井重里、3人が集まった日。」 2016年

「YOKOO LIFE」 2017年～2018年

「アホになる修行の極意。」 2018年

以上、すべて ほぼ日刊イトイ新聞 https://www.1101.com/

※p170～235はこの本のための新規対談

横尾忠則（よこお ただのり）

1936年兵庫県生まれ。美術家。72年にニューヨーク近代美術館で個展。その後もパリ、ヴェネツィア、サンパウロ、バングラデシュなど各国のビエンナーレに出品し、ステデリック美術館（アムステルダム）、カルティエ財団現代美術館(パリ)、ロシア国立東洋美術館（モスクワ）など世界各国の美術館で個展を開催。京都国立近代美術館、金沢21世紀美術館、国立国際美術館など国内の美術館でも相次いで個展を開催し、2021年に東京都現代美術館で2度目の大規模な個展を開催。2012年、神戸に横尾忠則現代美術館開館。2013年、香川県豊島に豊島横尾館開館。08年に小説集『ぶるうらんど』で第36回泉鏡花文学賞、11年に旭日小綬章、同年度朝日賞、15年に第27回高松宮殿下記念世界文化賞、16年「言葉を離れる」で講談社エッセイ賞、2020年東京都名誉都民顕彰。

横尾忠則オフィシャルウェブサイト
http://www.tadanoriyokoo.com/